W9-BSZ-742

NARRATORI MODERNI

Della stessa autrice:
La galassia cannibale (1988)
Lo scialle (1990)

CYNTHIA OZICK
IL MESSIA DI STOCCOLMA

GARZANTI

Prima edizione: gennaio 1991

Traduzione dall'inglese
di Mario Materassi

Titolo originale dell'opera:
The Messiah of Stockholm
© 1987 by Cynthia Ozick

ISBN 88-11-66273-7

© Garzanti Editore s.p.a., 1991
Printed in Italy

a
Philip Roth

Mio padre non si stancava mai di inneggiare a quello straordinario elemento che è la materia.

«Non esiste materia inerte», ci insegnava. «L'assenza di vita è soltanto un travestimento dietro al quale si celano forme di vita sconosciute. La gamma di queste forme è infinita, e illimitate sono le loro gradazioni e le loro sfumature. Il Demiurgo era in possesso di importanti e interessanti ricette creative, grazie alle quali Egli creò una molteplicità di speci che si rinnovano secondo meccanismi propri. Nessuno sa se queste ricette verranno mai ricostruite; ma poco importa, perché anche se i modi classici della creazione dovessero risultare per sempre inaccessibili, resterebbero comunque dei modi illegali, un'infinità di modi eretici e criminosi».

Bruno Schulz, «Trattato dei manichini, ovvero il secondo libro della Genesi», in *Le botteghe color cannella.*

Jag är stjärnan som speglar sig i dig.

* * *

Din själ är mitt hem. Jag har inget annat.

Io sono la stella che si specchia in te.

* * *

La tua anima è la mia casa. Non ne ho altre.

Pär Lagerkvist, *Aftonland*

IL MESSIA DI STOCCOLMA

Alle tre del pomeriggio — l'ora in cui, in tutto il mondo, il tegame dello stufato letterario trabocca, quando nelle redazioni delle pagine culturali dei giornali il pettegolezzo è più sfrenato e dilagante, e quando il cielo autunnale sopra Stoccolma comincia a far calare su quella città tutta guglie e acqua un crepuscolo traslucido, guscio d'uovo che protegge un tuorlo nero-azzurro — a quell'ora lacrimosa e tuttavia esultante si poteva trovare Lars Andemening a letto, che faceva un riposino. Mai che qualcuno andasse lì a cercarlo: non aveva moglie; il suo appartamento era poco più che una crepa nel muro, e una visita un avvenimento biennale; e la trapunta, che si levava in un ammasso aggrovigliato di viluppi, poteva sì e no suggerire, al di sotto, la presenza di Lars. Si dava il caso che egli fosse lì quasi ogni pomeriggio da novembre fino all'inizio di un certo marzo nudo e tormentoso, quando poi smise; ma nessuno lo sapeva.

Viveva a una distanza di dieci minuti a piedi dal «Morgontörn», dove lavorava, un giornale relativamente giovane, di carattere non ben definito, in concorrenza sul mercato del pubblico della mattina con il vecchio, maestoso «Dagens Nyheter» e il rispettabile «Svenska Dagbladet». Anche Lars era, almeno all'apparenza, relativamente giovane; aveva quarantadue anni, ma all'aspetto era molto più giovane, probabilmente perché era smilzo e tutto ossa, e sotto la cintura non aveva neanche un accenno di pancia. V'era però qualcosa, nel suo viso, che tendeva all'immaturo — un che di titubante, una nota di incompiutezza. Nel plasmargli la bocca, il mento, il pomo d'Adamo, la mano di un creatore disattento aveva tirato via. Spesso veniva trattato come se fosse appena agli inizi, come se la forza maschia che buttava nella lotta contro la vita fosse ancora acerba.

La verità è che era stato sposato non una ma due volte, e che entrambe le volte aveva vissuto per ben dieci anni in un appartamento decente, ammobiliato come si deve: un lampadario di cristallo con la prima moglie, un letto in stile impero con la seconda, e con entrambe, sparse qua e là dentro i loro globi di vetro, tozze candele accese che pulsavano nell'oscurità. Alle spalle aveva molto della condizione borghese ordinaria, e se l'aveva perduta non era stato per volontà sua, bensì per attrito. A nessuna delle due mogli era piaciuto a lungo. Birgitta si lamentava sempre che nel suo spirito c'era qualcosa di irregolare, di non digerito. Ulrika gli aveva dato battaglia e gli aveva rapito la loro figlia; seppe in seguito, dalla donna malinconica che era stata sua suocera, che erano andate in America. La sua ex suocera non ce l'aveva con lui, lo considerava una specie di orfano.

La madre di Ulrika non era una donna intelligente, ma in questo caso non andava lontano dal vero. Lars Andemening si riteneva un'anima lasciata a mezzo: qualcuno che era stato buttato fuori strada. La sua collocazione era altrove, il suo nome se lo era inventato lui. Non aveva detto quasi a nessuno — né alle sue mogli durante tutti quegli anni, né a nessuno dei colleghi al «Morgontörn», dove teneva una rubrica settimanale di recensioni — ciò che sapeva di sé: che era il figlio di un uomo il quale era stato assassinato, a cui più di quarant'anni prima, in Polonia, era stato sparato per la strada mentre il figlio era ancora nel grembo della madre. Questo sapeva, e lo teneva sepolto. V'era qualcosa di pericoloso in tutto ciò, non soltanto perché fuori della norma — fin dall'infanzia era stato ghermito da una storia innaturale — ma perché suo padre era una leggenda, un sogno; o, a essere più esatti, un seme errante lasciato dietro di sé da un cadavere. Lars non aveva mai saputo come si chiamava sua madre, ma suo padre era divenuto per lui un'idea fissa.

Suo padre, un insegnante di disegno nelle scuole secondarie, vissuto in oscurità in un'oscura cittadina della Galizia, era autore di certi strani racconti. Si chiamava Bruno Schulz.

Per amore di questi racconti Lars si era imbevuto di polacco: dapprima per conto proprio, in seguito con l'aiuto di una anziana polacca eccentrica, un'insegnante di letteratura all'università di Cracovia, ora in pensione, fuggita a Stoccolma con il marito ebreo durante la sollevazione del 1968. Le sue origini, diceva, erano nobili, una famiglia di sangue blu, avvezza al rigore e al *noblesse oblige*: i suoi soldi, Lars li avrebbe spesi bene. Mise sotto torchio l'allievo, facendolo passare subito dalla grammatica per principianti alle cupe foreste dei modernisti fra le due guerre. Ben presto Lars acquistò una discreta rapidità. Leggeva con lingua impacciata ma con occhi fulminei, sempre dietro ai racconti di suo padre.

A causa di suo padre, Lars si contrasse. Sentiva di assomigliare a suo padre: tutti quei racconti avevano a che fare con uomini che sempre più si contraevano nella fantasmagoria della mente. Uno dei racconti riguardava un uomo che dormiva e il suo precipitare e venire inghiottito dalle lenzuola, come uno che nuoti contro corrente, come un prigioniero in una grande ciotola di impasto per la sfoglia.[1]

---

1 Il racconto, incluso in *Le botteghe color cannella*, è «Il signor Karol». (*N.d.t.*)

2

Quando si era liberato di tutto quanto aveva a che fare con la sua vita di uomo sposato, Lars aveva conservato la scatola dei colori della sua bambina. Il telefono attraverso il quale aveva avuto tanti litigi con Ulrika dopo che lei era fuggita con la bambina, via! La macchina da scrivere che lo legava al tegame letterario, via! Intendeva purificare la propria vita. Chiunque avesse voluto mettersi in contatto con lui doveva passare attraverso la segreteria del «Morgontörn». Tutte queste circostanze, queste condizioni, davano a Lars, Dio solo sa come, il volto di un feto; era come se stesse aspettando di venir trovato dal padre defunto, e avesse deciso di mantenersi riconoscibile.

Tuttavia era da tempo che stava diventando grigio. La folta capigliatura era rigata di fili del colore del pecorino, e fra gli occhi, che erano davvero molto belli, correvano due solchi verticali ben marcati. Probabilmente era al punto in cui presto avrebbe avuto bisogno degli occhiali. Aveva l'abitudine di aggrottare le sopracciglia; questo creava delle pieghe lungo le palpebre, che abbassandosi gli aguzzavano la vista ma anche rendevano più profondi quei solchi. Ciò nonostante, pur con tutto questo annodarsi e ingrigire, se uno che non lo conosceva lo incontrava sull'ascensore poteva ancora prenderlo per un fattorino.

Al «Morgontörn» era uno dei tre recensori. Gli altri erano Gunnar Hemlig, il recensore del mercoledì, e Anders Fiskyngel, che aveva il venerdì. Lars era inchiodato al lunedì: parecchio tempo addietro era stato deciso che nessuno faceva alcun caso alla pagina culturale del lunedì mattina. Sugli autobus si vedeva la gente che, sbadigliando, scorreva i titoli e si fermava alle rubriche della posta dei lettori, dove i brontoloni contrari alle bevande alcoliche dissertavano. Col progredire della settimana, la sonnolenza che caratterizzava il pubblico dell'edizione mattutina del «Morgontörn» cominciava a passare. Quando arrivava il mercoledì, il pubblico era pronto per Gunnar, un'autorità sul romanzo americano contemporaneo; nel tempo libero teneva anche un corso, che tra le ondulazioni della sua caratteristica risatina chiamava «Il matrimonio di Norman Mailer e Erika Jong». Quando poi arrivava il venerdì, Anders — che aveva il posto migliore — trovava i lettori del «Morgontörn» pronti per tutte le sue esplosioni umorali. Libri di spionaggio, le famiglie reali, sport, culinaria: Anders dispensava insolenze in tutte queste categorie, e la gamma delle sue specializzazioni in negativo era sempre in aumento. I lettori del venerdì erano completamente svegli. Una lettera su quattro, o quasi, di tutte quelle che il «Morgontörn» riceveva era indirizzata a Anders Fiskyngel; egli era una specie di provocatore, in particolare per quanto riguardava il pane schiacciato di segala: trattava male qualsiasi libro di cucina che ne dicesse bene; era un esempio, sosteneva, del provincialismo degli svedesi.

Poche erano le lettere che arrivavano a Lars Andemening. Il lunedì non valeva niente. Nessuno leggeva Lars, nessuno lo importunava, nessuno gli dava fastidio; era libero. Questa libertà lo mandava a letto prima di sera, e non si trattava di indolenza. Sul muro, al di sopra del letto, aveva attaccato con lo scotch due motti:

ANCHE LEONARDO DA VINCI AVEVA SOLTANTO
VENTIQUATTR'ORE AL GIORNO

* * *

PERFINO ARCHIMEDE QUALCHE VOLTA DORMIVA

E non erano facezie. Lars, a differenza di Gunnar, non veniva sfiorato dalla musa comica: la sua castità era il frutto di un'austerità consumata. Da tempo, infatti, si era gettato sull'altare della letteratura. Se dormiva, in segreto, nel pomeriggio, era per strappare due giorni a una giornata.

La mattina la passava a leggere. Questo voleva dire che cominciava dalla prima pagina e finiva con l'ultima. Non era tipo da scorrere un libro, da dargli un'annusatina; lui leggeva meticolosamente, come se, nuotando, venisse ripreso al rallentatore. Il testo lo travolgeva e lo consumava, era come un uomo (l'uomo nelle lenzuola, nel racconto di suo padre) risucchiato in basso da una corrente del fondo. Lenta, lentissima, l'immaginaria cinepresa registrava la sua lotta, le boccate violente. Lèggere, per lui, era estenuante come estenuanti sono per uno che annega le lunghe bracciate appesantite: ci metteva tutta la sua forza. Poi si riscaldava una tazza di farinata, e piombava nella regione desertica della sua trapunta.

Quando alle sette si svegliava nella piena oscurità della notte, si sentiva stranamente grasso: era sazio delle proprie idee, capiva ciò che aveva in testa. Immediatamente si sedeva a scrivere la sua recensione. La scriveva di getto, come una fornace che bruciasse del grasso. Era come se la sua penna, sfrigolando lungo la fila di rapide lettere a cui dava fuoco, emettesse aloni di grasso caldo: l'aria si illuminava, e quindi anneriva. Era vivacissimo, adesso, era enciclopedico, era in piena crisi alluvionale. Riandava veloce a tutte le ipotesi ingabbiate nel testo dall'autore: alcune erano palesi, e camminavano su e giù dietro le sbarre; altre erano mimetizzate, screziate. Lui era un derviscio, penetrava dappertutto. Quando si accorgeva di essere a due passi dalla conquista, una specie di vertigine gli annebbiava la vista; aveva quasi paura di tutto ciò che sapeva. Un becco untuoso lo strappava allora alla sua consueta cornice di roccia e lo trasportava in alto, in una

18

regione al di là del suo controllo. Mentre dormiva, qualcosa gli succedeva: il suo non era il sonno che rinfresca o ristora. Non faceva sogni. Dopo, le sue palpebre si aprivano di scatto, come quelle di una marionetta, ed egli *vedeva*: ciò che vedeva, prima ancora di formularne una sola parola, era il suo lavoro compiuto. Lo vedeva come una sorta di vaso, stondato, levigato, svuotato. All'interno della sua cavità v'era un uovo di alabastro con un unico punto scintillante; no, non un uovo: un globo, meravigliosamente rotondo. Un occhio. Un occhio umano: il suo; e tuttavia non il suo. L'occhio trucidato di suo padre.

3

Per qualche ragione Gunnar Hemlig e Anders Fiskyngel, nemici l'uno dell'altro quali erano — vecchi avversari — entrambi tolleravano Lars. Non che gli fossero affezionati: semplicemente, non costituiva un pericolo ed era di rado fra i piedi. A differenza di Gunnar e di Anders, Lars — in tutta probabilità a causa dell'ignominia del lunedì — non aveva un cubicolo proprio. Capitava al «Morgontörn» per lo più per consegnare il lavoro e ritirare le comunicazioni. Si teneva fuori da gran parte dei discorsi, non faceva pettegolezzi, e per quanto riguardava le lotte di potere in redazione sembrava quasi nato ieri. Il giovedì sera, di solito, compariva alle dieci per battere a macchina il suo manoscritto. Spesso usava la macchina di Anders nel cubicolo di Anders se lui non c'era; oppure quella di Gunnar. A volte erano assenti entrambi. Ma non era raro che, quando Lars arrivava, tutti e due fossero lì a fumare o a leggere, ognuno nel proprio cubicolo; e in tali occasioni Lars si metteva in giro alla ricerca di una scrivania e di una macchina libera, come un fantasma roso dall'ansia. Si sedeva sulla prima sedia vuota che trovava, e cominciava la sua battaglia contro la malvagità dei tasti. La scarsa pratica lo rendeva un cattivo dattilografo: aveva l'abitudine di battere una *j* quando invece intendeva una *t*, finendo col mettere insieme delle strane parole.

«Svedese del North Dakota», disse Gunnar, gettando un'occhiata al foglio di Lars.

«Il mio appartamento è così stretto», si scusò Lars, «che o tengo la macchina per scrivere o tengo i calzini puliti».

«Magari se battessi sui calzini ti verrebbe un testo pulito», disse Gunnar. Quella sera Anders non c'era. Il luogo era soggetto a mormorii spettrali, l'assito dei pavimenti aveva il vizio di sputacchiare, o ringhiare, oppure di quando in quando perfino di fischiar loro sotto i piedi. Gli uffici redazionali del «Morgontörn» erano situati in Gamla Stan, nella città vecchia, girato l'angolo dietro la Borsa e l'Accademia, in un quartiere che era stato abilmente restaurato e reso pittoresco. Tuttavia l'ultimo falegname ad avere avuto cura dei malfermi alloggi derelitti del «Morgontörn» aveva alzato il martello quasi ottant'anni prima; di conseguenza, il «Morgontörn» era pittoresco soltanto dalla strada: all'interno, era un intricatissimo susseguirsi di ostacoli. La parte inferiore della facciata suggeriva la taverna (anch'essa chiamata «Morgontörn», in onore di antiche feste che si protraevano fino all'alba) che aveva occupato il posto centocinquant'anni prima. Gli impiegati dicevano, scherzando, che l'impianto idraulico era stato installato dal predecessore della taverna, un farmacista del diciottesimo secolo il quale si diceva avesse inventato, in un sogno futurista, lo sciacquone a catena. L'ascensore era una scomodità che poteva ospitare due persone, a condizione che una delle due fosse opportunamente scheletrica.

Lars, magro com'era, non aveva problemi. Gunnar aveva osservato che assomigliava esattamente all'edificio in cui aveva sede il «Morgontörn»: grigio, stretto, e alto. Era composto di sei piani malandati. La sezione culturale occupava l'ultimo piano, dove un disciplinatissimo reggimento di topi teneva il suo quartier generale. C'erano pile di libri su ogni superficie; i topi, ordinatamente, consumavano lì i loro pasti, le prefazioni come antipasti, gli indici come dessert. Grattacieli di volumi rosicchiati sorgevano dal pavimento, pencolando verso battiscopa rabberciati.

«Svedese del Minnesota», disse Gunnar. Invece di *tole-*

21

rans Lars aveva battuto *jolerans*; invece di *takt*, *jakt*.[1] «Lo sai che cosa ti ci vorrebbe, Lars? Il computer. Anche se poi, se non è un Apple o un IBM, io non lo voglio. Lascia fare a Nilsson: lui li fa venire tutti dal Giappone, ci scommetto. Non che ci si arriverà mai: nello stato in cui è, l'impianto elettrico non lo reggerebbe, e Nilsson dice che il permesso per rifarlo glielo dànno solo se succede qualcosa ai muri, che cosa, lo sa Iddio. Magari che crollino».

«A me basta la penna», disse Lars. Con una serie di x cancellò *jakt*, e batté *takt*. Le macchine lo rendevano impacciato, ma il suo stile era puro. Le recensioni di Gunnar, al contrario, erano infarcite di espressioni americane. Gunnar amava tutto ciò che era americano, incluso quel loro formaggio che formaggio non era; l'ultima volta che era stato a New York aveva riportato a sua moglie, come regalo, mezzo chilo di Velveeta.[2]

«Ma lo sai da quant'è che hanno messo su i computer, all'"Expressen"?», disse Gunnar.

«Preferisco esser qui nella città vecchia».

«Be', è proprio il posto per te», disse Gunnar. «Gogol', Balzac, neanche Lucien de Rubempré[3] aveva una macchina per scrivere. Urrà, ecco i muri che partono».

Un brontolio, una vibrazione. Era l'ascensore che saliva.

«Se è Anders», disse Lars, «devo spicciarmi a finire. Vorrà la sua scrivania».

«Vorrà quello che c'è dentro, piuttosto». Gunnar con una stratta aprì un cassetto. Dentro, posata su un fianco, c'era l'ultima bottiglia di Anders. «Qui tu sei un'eccezione, Lars. Non tutti hanno le belle lettere in testa giorno e notte. C'è chi in testa ha l'acqua, e chi il vino».

La questione di Lars e delle belle lettere era uno degli scherzi costanti di Gunnar: spesso segnalava uno scatto di

---

1 In svedese nel testo: *tolerans* significa «tollerante» e *takt* «tatto». (*N.d.t.*)
2 Un tipo di formaggio a fettine. (*N.d.t.*)
3 Ricorrente personaggio balzachiano. (*N.d.t.*)

impazienza nei confronti di Anders. Anders, sosteneva lui, faceva uso della sua posizione privilegiata del venerdì per gemere e ansimare; quello che voleva ottenere era la distruzione del rispetto di sé negli svedesi. Era antipatriottico. Gli svedesi sono gente timida, troppo modesti per sopportare le lodi, troppo chiusi. Ma Anders aveva rovesciato tutto: con Anders, tutto era umiliazione, autoaccusa. Autodistruzione. Ciò derivava dal fatto che, per parte di madre, aveva un po' di sangue finlandese, non ci si può certo aspettare un temperamento solare in un finlandese. «Sputa nel piatto in cui mangia», continuò Gunnar. «In America il pane schiacciato è chic, addirittura ci spalmano il caviale. Come va a finire lo vedi da te: è uno che insozza, uno che distrugge. Quanto tempo è da che ha recensito qualcosa che gli andasse a genio? Quanto tempo da che ha detto bene di qualcosa di nuovo? Non c'è scrittore dopo Strindberg su cui non trovi da ridire. Non lascia in pace nulla, nemmeno, Dio ci aiuti, il nostro pane quotidiano».

«*Hej*»,[4] disse Anders. Il suo cappotto aveva una sfarinatura di neve che si scioglieva rapidamente in goccioline. «Una comunicazione per te, Lars. La signora Eklund, e chi è? Quella scema d'una ragazza, giù dabbasso: fa andare a male tutto. Vedo che la data è della settimana scorsa».

Lars afferrò il foglietto e se lo ficcò in tasca. «Mi è rimasto da battere solo quest'ultimo paragrafo. Altre due frasi».

Anders buttò le galosce in un angolo. Sorpreso, un topo tanto giovane che era appena arrivato al rango di cadetto saltò fuori da dietro un classificatore. «La signora Eklund», ripeté Anders. «Cominci col pigliarti la moglie di un altro, Lars, e non c'è da meravigliarsi se poi finisci col pigliarti la scrivania e la sedia di qualcun altro. Per

---

4 In svedese nel testo: «salve». (*N.d.t.*)

non parlare della vodka». Guardò, accigliato, la battitura di Lars. «Hai messo *jalteori* al posto di *talteori*».[5]

«Di lunedì», disse Gunnar, «chi vuoi che se ne accorga?».

«Il mio cassetto è aperto».

Lars si affrettò a dire: «Stavo cercando una gomma...».

«Nessuno ti ha toccato la vodka», disse Gunnar. «Ma la signora Eklund non è quella che ti ha procurato quella polacca per le ripetizioni, Lars?».

«Un'altra straniera», disse Anders. «Ditemi un po', ma questa è Stoccolma o Timbuctu?».

«Ha una libreria», disse Lars. «A volte le faccio degli ordini».

«Non mi meraviglia affatto», disse Gunnar.

«Una città piena di polacchi e di turchi. Il deterioramento del carattere svedese. La decadenza dell'Europa. Il centro di Stoccolma pieno di spazzatura. Tresche adulterine nelle librerie. Che ne diresti di attaccare il bollitore, Lars?».

«Devo andare», disse Lars.

«Prima attacca il bollitore, d'accordo? Non c'è niente come una goccia di vodka in un sorso di tè, per riscaldarsi».

Lars prese il bollitore elettrico di Anders, uscì nel corridoio e andò al rubinetto appena fuori dalla toilette per gli uomini. L'acqua, dapprima rugginosa, scendeva a filo. Attese che diventasse limpida per riempire il bollitore. Nel frattempo ripescò dalla tasca il messaggio: TELEFONATO LA SIGNORA EKLUND DICENDO DI SUA SORELLA. Quella scema d'una ragazza, giù dabbasso. Uno sbaglio: non aveva sorelle, lui. Quando tornò nel cubicolo di Anders, Anders stava mettendo sopra il classificatore il suo cappotto umido arrotolato, e Gunnar, con intonazione liturgica, stava leggendo ad alta voce la prima frase del dattiloscritto di Lars: *Ci troviamo in un universo ristretto come una trappola, dove*

5 In svedese nel testo: *talteori* è «teoria della lingua». (*N.d.t.*)

gli unici eroi sono delle vittime, dove la mutezza è privilegio degli intrepidi.

«Ragazzi», disse Gunnar, «che spavento deve essersi presa tua madre, dico, quando era incinta di te. Assalita dalle forme più alte di letteratura».

«Brutto segno», disse Anders, «questa ripetitrice polacca».

«Lascia stare i miei fogli», disse Lars.

«Mea culpa», disse Gunnar, e fece un inchino. «Il guaio tuo, Lars, è che sei un'anima nobile. Un recensore di quotidiano non dovrebbe essere un'anima nobile: porta alle belle lettere, che a loro volta portano all'esaltazione e ad altre forme di declino».

«Questo stagno», disse Anders. «Questo piccolo stagno di traduttori e di camaleonti. Lo svedese, la lingua segreta. Chi la conosce, a parte gli svedesi? Chi oltre a loro si affanna a imparare la lingua di tutti gli altri? La paralisi dell'identità svedese. Versa l'acqua, Lars».

«I polacchi fanno lo stesso. I cecoslovacchi. Gli ungheresi. Non stiamo mica peggio degli altri», obiettò Gunnar. «Perché prendersela con gli svedesi?».

Lars riempì il boccale di porcellana rosa di Anders, e Anders, magnanimo, si versò con generosità dalla bottiglia che teneva nello scrittoio.

«Metà degli abitanti di Stoccolma ritengono di essere dei filosofi francesi. E l'altra metà» — Anders guardò Gunnar dritto negli occhi — «sono degli imbonitori da circo».

Lars si calzò in testa il berretto a maglia e prese su le sue pagine. «Le lascio sul tavolo di Nilsson. Buona sera, signori».

«Una visita notturna», disse Anders, «a quella che dà ripetizioni di polacco?».

«Non ce l'ho più».

«Te lo dico io qual è il tuo problema, Lars. L'Europa centrale, ecco qual è il tuo problema». Gunnar volse le spalle a Anders, che si faceva salire il vapore della tazza su per le due canne fumarie del naso imponente, angolato verso destra e attaccato alto al ponte sì da nascondere l'altro lato del viso. «Praga, Vienna, Cracovia. Un tocco di Budapest, un'annusatina di Bucarest. Mettici Dubrovnik, e una manciata di misantropi parigini. Potresti tirar su un Borges per la culatta, ma altrimenti i matti vengono tutti dal centro. Credi che la mia gente del mercoledì abbia mai sentito parlare di questo Danilo Kiš?[6] Tu non la fai più finita, con lui, ma loro non ne hanno mai neanche sentito parlare. Quando sposteranno la Jugoslavia in Norvegia, allora potrà valer la pena di dare un'occhiata alla porta accanto».

«La nostra signora Eklund», insisté Anders, «potrebbe mica raccomandare qualcuno che desse ripetizioni di serbo-croato?».

«Non ti dimenticare di quel succo di limone strizzato laggiù negli agrumeti della California — Adrian Leverkühn, dottor Faust![7] Kafka, Musil, Broch, Canetti, Jabès e Kundera. Tutti quei tizi, e mi raccomando non ti dimenticare delle signore, com'è che si chiama, quella? Sarraute. Più imperscrutabili sono, e più gli piacciono. Sempre a caccia dell'impenetrabile: principe dell'indecifrabile. È questo che divora il cervello del lunedì. Quello che ci ritroviamo, con Lars, è un Faust del lunedì».

Lars terminò di sistemarsi la sciarpa. «Signori, me ne vado».

L'ascensore scese sbatacchiando, ondeggiando appeso ai suoi logori cavi; per tutto il tragitto fino al pianterreno Lars li udì che sferragliavano, martello e tenaglie. Durante le ore di lavoro regolari li vedeva di rado, quei due; nella luce del mezzogiorno gli apparivano fiacchi, scolori-

---

6 Danilo Kiš (1935-1989), scrittore iugoslavo di lingua serbo-croata. (*N.d.t.*)
7 Il protagonista del *Doktor Faustus* di Thomas Mann. (*N.d.t.*)

ti. Erano vichinghi grandi e grossi, ma scornati. Gunnar teneva nel suo cubicolo un bollitore suo personale; tutte le sue cose le teneva meticolosamente separate. Trent'anni prima era venuto a Stoccolma da Göteborg; Anders era arrivato da Malmö press'a poco nello stesso periodo. Entrambi erano lavoratori notturni che dormivano fino a tarda mattina e facevano la colazione alle quattro del pomeriggio. Quando la schiuma diurna della gente ordinaria — segretarie e telefoni — sgombrava il campo, piaceva loro aggirarsi fra le pile delle bozze dei recensori, seguendo la traccia di qualche preda letteraria e snidando topi. Perfino il Niagara della cassetta dello sciacquone, su in alto, nel gabinetto degli uomini, sembrava loro più possente dopo la mezzanotte. Benché fossero sempre a litigare su questo e su quello — si accusavano l'un l'altro di negatività, di autodenigrazione, di grettezza — la pensavano allo stesso modo su tutto; erano al corrente di tutto quello che importava di più. Tutte le notizie erano loro — quali traduttori prendevano scorciatoie (erano d'accordo sul fatto che nessuno era in grado di vedere la differenza fra Sven Strömberg in svedese e Sven Strömberg in spagnolo), l'amante di chi era appena passata da un critico all'altro, chi era appeso a un filo.

Lars non sapeva un gran che delle loro giornate (avevano moglie, avevano figli adulti, e Anders si vantava perfino di avere un patrigno di ottantasette anni e una zia ancor più antidiluviana, entrambi importati a Stoccolma da Malmö), ma capiva bene le loro notti. Come lui, erano affondati nei libri, incatenati all'alfabeto, asserviti alle frasi e ai paragrafi. E al di là di questo, Lars era incantato da certi risvolti della loro vita. Anders, per esempio, aveva tradotto «Klockorna»[8] di Edgar Allan Poe mantenendo invariate tutte le cadenze; era inclusa in un testo scolastico e veniva recitata dai bambini. In quanto a Gunnar,

8 In svedese nel testo: «Le campane». (*N.d.t.*)

27

una volta al mese attraversava la strada e andava a prendere il tè con il bibliotecario dell'Accademia. Ne era orgoglioso, e aveva promesso di presentare Lars.

Per qualche ragione quell'incontro non si materializzava mai, ma a Lars bastava il fatto che i suoi piedi lo portassero quasi ogni giorno lungo i vicoli stretti della città vecchia fino alla grande piazza luminosa (luminosa, lo colpiva, anche nella luce della pioggia) che lambiva l'Accademia, più sacra per lui di qualsiasi cattedrale. Era ad essa che egli sentiva di dovere la sua fedeltà: ai diecimila adorati volumi chiusi in quelle alte stanze sopra la Borsa Valori, stranamente silenziosa, dove gli schermi dei computer mandavano guizzi e un'unica voce smorzata veniva meno, e qualche vecchio sedeva come in un parlamento di statue; ai chilometri multicolori di scaffali dove i nuovi libri, gridando in tante lingue lo stendardo delle loro sopraccoperte, si contendevano l'attenzione degli accademici; e, tutt'intorno, le guglie grigie che foravano l'aria come tanti pennini, una strada dopo l'altra. La biblioteca dell'Accademia era vecchissima, con vecchi cataloghi di legno e lunghi cassetti scorrevoli; i documenti venivano consegnati a mano, da esseri umani, e non avevano niente a che fare con i computer. Anzi, file e file di antiquate enciclopedie erano solennemente sistemate, come gioielli della corona, nella culla di teche dalle fiancate di vetro, in una cantina in mattoni rossi. Lars era andato a vedere tutto questo da solo; la prigione benevola, dentellata di archi monastici, e i tavoli da lavoro dove studiosi che avevano ottenuto un permesso speciale posavano le loro pesanti cartelle. Quelle cartelle: Lars immaginava una profusione, un rigoglio, stanze e stanze di Edda,[9] saghe che si snodavano all'infinito. Beatitudine di poeti-eruditi, archeologi di antichi crepuscoli scandinavi. I freddi dèi con le loro corazze ammiccanti e i loro capricci roventi. Il

9 Opera letteraria dell'antica Islanda. (N.d.t.)

martello del terribile Thor. Odino e Freya. Tutti ridotti ormai ai giorni della settimana: che ironia.[10]

Era lì che suo padre avrebbe dovuto essere, nei ventricoli dell'Accademia: Lars di questo era certo come era certo della neve che gli sbatteva contro le palpebre. Suo padre era nato per far parte di quel Pantheon, con Selma Lagerlöf e Knut Hamsun; con Camus e Pasternak. Shaw, Mann, Pirandello, Faulkner, Yeats, Bellow, Singer, Canetti! Maeterlinck e Tagore. La lunghissima, meravigliosa lista dei Vincitori. Suo padre, se fosse vissuto, avrebbe vinto il grande premio, era fin troppo evidente. Faceva parte di quel sodalizio di Maestri.

---

10 Dal dio scandinavo del tuono, Thor, viene «Thursday» (giovedì); così per «Friday» (venerdì), dalla dea dell'amore, Freya. Da Odino, il dio della guerra, della poesia e della saggezza, viene «Wednesday» (mercoledì). (*N.d.t.*)

4

C'era un vento aspro, adesso, che la faceva da padrone nel nero dell'una. L'oscurità continuava a gettare neve sul viso di Lars, e lui si strinse la sciarpa sul naso e sulla bocca, come era caldo il suo fiato nella piccola grotta creata dalla sciarpa! Passò in fretta oltre la Borsa Valori e l'Accademia, non una lampada accesa da nessuna parte, neanche la chiazza della torcia elettrica di una guardia notturna. Successione di tetti che s'imbiancavano: come era facile scrutare nel buio più fitto attraverso una lente di neve. I fiocchi di neve, vorticando, facevano intorno a lui un balbettio come di alfabeto Morse. L'odore di qualcosa fatto arrosto, che cos'era? Comignoli. Alla fine gli fu chiaro che stava camminando in fretta e andando lontano; a passi pesanti ma rapidi aveva già attraversato il ponte sulle chiuse, dove il Baltico salato combatteva a morte le acque dolci che lo attaccavano; capì dove era diretto. Quel che di bruciato. Rimase in ascolto, in attesa delle sirene dei pompieri. Oh, i comignoli. Silenzio dappertutto: ecco la strada dove una volta erano vissute Nelly Sachs e la sua vecchia madre.[1] L'appartamento della poetessa; le finestre della poetessa. Tutto morente, qui. Giunse al termine della Bergsundsstrand a un passo forsennato che lo accaldava sotto la sciarpa e il berretto. Le poche macchine scivolavano via con i loro fari insonni, lente come gatti. Stoccolma, città ordinata, ha la sua vita

1 Nelly Sachs (1891-1970), la poetessa tedesca di origine ebraica che nel '66 ricevette il premio Nobel, nel 1940 si era rifugiata in Svezia con l'aiuto di Selma Lagerlöf. (*N.d.t.*)

sotterranea, i suoi occulti sofferenti d'insonnia. Chiunque abbia un segreto, a Stoccolma, gira e rigira nel vuoto della notte, ma non nel sonno.

Dietro lo schermo dei fiocchi vorticosi le guglie assumevano l'aspetto di turbinanti cappelli di Merlino. Una ventina di strade alle sue spalle, le voci di Gunnar e di Anders che colpivano, sferzavano. Strida di gabbiani. Anche adesso, che lui non c'era. Rodomontate, prolisse affettazioni rococò, che posatori! Logori per esser rimasti troppo a lungo sugli scaffali, troppo a lungo invenduti in negozio, segnati e sciupacchiati. Erano soprattutto quei loro segni che Lars amava, la loro debolezza, la loro delusione. Erano come Tiu, il figlio di Odino, dio della guerra, dio della vittoria. Prima, Fanrir il Lupo con un morso stacca di netto una mano; poi tutto quanto resta del potente Tiu — testa, torso, e gli ultimi tre, forti arti — ridotto a essere unicamente un giorno della settimana, il martedì. E Lars amava poi quel loro odore di scribacchini mutili, tenue e oscuramente pruriginoso, una esalazione scremata dall'onnipresente puzzo di stantio del «Morgontörn», come una qualche fungosità rigenerata dall'antichità. Per quel che ne sapeva lui, anche Lars era permeato di quell'odore. I topi non ne avevano colpa: le loro palline, militarmente pulite, non lasciavano alcun odore.

Quell'odore di arrosto nell'aria. Il suo sudore. Lo sforzo. Le gambe come giroscopi. Oh, i comignoli delle ascelle, umide, che bruciavano sotto la lana. Davanti a sé scorse la porta a colonnine del negozio di Heidi. Heidi era spesso una degli insonni notturni: una donna sui sessantacinque, un fagottino rotondo con un nome da bambina. Portava una frangetta ricciuta, come una bambina; ma bianca come pelo di pecora, e i riccioli ricadevano su due baffi neri, serenamente fuori posto, che saltavano intermittenti su due occhi avventati. Avventati, e del colore delle ciliege scure, con la pelle delle palpebre incartapecorita. Zuccheroso, dare a una bambina il nome di un per-

31

sonaggio fittizio di un romanzo. I tedeschi sono sentimentali: la chiamano *Heimweh*. Che è come dire «voglia di casa»; e lo stesso in semplice svedese, *Hemsjuk*. Lasciate fare ai tedeschi in quanto a tirar fuori tutta quella sofferenza alla melassa, come una interminabile cintura elastica di disgustosa dolcezza. Heidi, in esilio volontario, negava qualsiasi fitta di *Heimweh*; ci sputava sopra. Era pratica e impaziente, e ormai da tempo aveva cessato di prendersi gioco del proprio nome. Negli ultimi decenni, spiegava, quel nome aveva anzi incominciato a andarle bene. Era come se, con la forza della sua ostinazione, lei ne avesse cambiato la natura: da tremula stella alpina a una forte, antica severità. Non che Lars avesse di Heidi una gran paura, ma un po' di paura, questo sì.

Nello stretto vestibolo del negozio Lars pestò i piedi con forza, e dalle scanalature delle suole degli stivali schizzarono via verghette di ghiaccio. Vide la luce nell'angusto retrobottega, una sorta di corridoio dietro l'alto argine di fondo degli scaffali, e immaginò che lei stesse contando le fatture oppure disfacendo i pacchi della spedizione settimanale. Rotondetta com'era, così solida e globulare, quella nanerottola d'una donna aveva una forza non comune, ed era in grado di sollevare da sola il peso morto di quegli scatoloni che venivano d'oltremare; anche se poi, durante le ore di apertura, teneva un ragazzo turco per i lavori pesanti. Oppure, rifletté Lars, era là seduta sotto la sua buffa lampada d'altri tempi (quella lampada, diceva lei, era stata l'unica cosa che ai suoi occhi era valsa la pena portarsi dietro dalla Germania, a parte qualche libro) a leggere tutto quello che era appena arrivato, la sua merce lei la leggeva, in quasi tutte le lingue. La sua merce era internazionale. Allo sguardo di Lars baluginò dalla vetrina: rettangoli che luccicavano come ritratti incorniciati, gli americani più recenti, del Nord come del Sud America, i russi più vecchi, l'ampia e costante compagnia degli inglesi e delle inglesi dell'Ottocento, un po' di cecoslovacchi e di polacchi, una intera foresta di Balzac; e poi i dizionari e le enciclopedie. La vetrina, stipata dal pavimento al soffitto, era una piramide a gradini affollata a ogni livello di tutti gli alfabeti. Eretta nel bel mezzo, come la rosa centrale che spicca in una corona di fiori, o come una sentinella a guardia di una cripta — letteralmente eretta, come su due zampe di leone —, stava una imponente edizione del *Drottninghholm: ett kungligehem*,[2] con fotografie a colori della famiglia reale: il re, dai biondi capelli ondulati, alto e imperturbabile; le due principessine, incantevoli in mezzo a un giardino; il principino, diffidente, in un vestitino alla marinara sopra un sofà di damasco; e la splendida, tremula regina, con i suoi denti brillanti e i suoi neri occhi iberici. La regina, si diceva, aveva cervello, discendeva da una nobile famiglia marrana: ebrei segreti, da tempo annacquati. Heidi adesso era una svedese molto patriottica. Quando la famiglia reale fu esaurita, mise in mostra uno di quegli smisurati volumi di paesaggi, esteso anch'esso come una pianura, che esibiva fotografie di mulini a vento e castelli e cervi galoppanti nella neve, e i gabbiani del Lago Vänern e una statua di Selma Lagerlöf, seduta, con i capelli di bronzo a crocchia.

Lars tirò fuori di tasca il suo temperino e batté sulla porta a vetri. Nessuno udì. Batté di nuovo. Forse lei aveva lasciato la luce accesa e era andata a casa, al suo appartamento. Lars l'aveva scelta a confidente — Heidi era una delle poche persone che sapevano quello che lui sapeva — eppure ancora non era mai stato nel suo appartamento. Di quell'appartamento non si sapeva più di quanto sia dato sapere di una qualsiasi voce incontrollata; certo, non più di quanto si sapesse di quell'altra voce, relativa al marito, il dottor Eklund. La vera vidimazione del suo stato matrimoniale appariva in lettere dorate dipinte sulla ve-

2 *Drottninghholm: una casa reale.* Si tratta di un volume sulla famiglia reale svedese nella sua residenza ufficiale. (*N.d.t.*)

trina: BOKHANDLARE.[3] Quando la sera girava la chiave, lei abbracciava la sua cucina a due fornelli e il tavolino quadrato e la sua branda. Fra le sagome irregolari degli scatoloni sul retro aveva un piccolissimo frigorifero, un minuscolo gabinetto, una teiera di porcellana picchiettata di azzurro, quella buffa lampada tedesca d'altri tempi — il paralume era una giunchiglia di cristallo — e un bollitore per il tè. Non aveva un bagno, benché vi fosse una cavità appartata, una sorta di vicolo, che poteva nascondere una doccia. E niente radio: nulla per la musica; Heidi era insensibile alla musica. Era come uno gnomo della foresta che si fosse costruito la sua piccola capanna spoglia, con un unico ornamento: la necessaria giunchiglia.

La luce oscillò, calò, si riprese. Una figura le era passata davanti. Di nuovo Lars batté il temperino contro il vetro. Ed ecco Heidi col suo smorzato stridio tedesco — «Va bene, va bene, non casca il mondo, mi manda in pezzi la porta!» — che rotonda attraversava il negozio per farlo entrare.

Lars ricominciò a pestare con gli stivali nel vestibolo. «*Hej*», disse.

«Be', se li tolga. Non voglio che me li porti dentro a sgocciolare. Per l'amor del cielo, il pavimento è stato appena pulito. Li lasci lì. Lei arriva sempre quando ho più daffare».

«Ma se è chiusa!». Era avvezzo, peraltro, alle sue assurdità. Le piaceva disorientarlo.

«E quando crede che possa fare le cose, con i clienti fra i piedi tutto il giorno? Sto controllando un arrivo. Sto cercando di fare i prezzi. Mio Dio, sto *concentrandomi*. E vorrà anche del caffè».

«No», disse lui, in calzini sulla soglia. «*Sprit*».[4]

«Non mi meraviglio: è un ghiacciolo. Un uomo di neve».

---

3 In svedese nel testo: «libraio». (*N.d.t.*)
4 In svedese nel testo: «alcol». (*N.d.t.*)

«Sto bollendo dal caldo», la contraddisse lui, e la seguì nel retrobottega. «Puzzo di sudore». Non era affatto sottomesso, con lei. Era sottomesso con Gunnar e Anders perché se lo meritavano: erano insignificanti. Ma con Heidi poteva essere rude. Questo nascondeva quel po' di paura che ne aveva.

«Su questo non ci sono dubbi: puzza come una pecora in calore. È arrivato il suo ordine: tutti quegli slavi. Non si aspetti che costino poco. Non sono stati facili da trovare, mi creda. Due sono in inglese, dagli Stati Uniti. Non sono riuscita a trovarli altro che così». Un lungo sbadiglio, sontuoso, fatto con tutto comodo, mise in mostra l'oro dei suoi molari. Sulla guancia sinistra c'era il segno di una piega del cuscino; cuscino e coperta, sulla branda, erano in disordine. Tirò giù da uno scaffale dietro la lampada tedesca una sacca di tela e ne estrasse un paio di edizioni tascabili. «Ludvik Vaculík, tenga.[5] Bohumil Hrabal, tenga. Witold Gombrowicz, eccolo qui. Non c'è che lei, a volere questa roba».

«Doveva essercene un altro...».

«Quell'altro polacco. Dove l'avrò messo... ecco. Tadeusz Konwicki, ecco qui. Rilegato. Lui sono riuscita a scovarlo soltanto in polacco. La sua lingua madre», disse, con una alzata sardonica della spalla piccoletta.

Gli porse un bicchierino di vodka, e di nuovo sbadigliò. Tirchia. Lars capì che avrebbe continuato a essere seccata con lui. Sapeva quello che lui sapeva; sapeva tutto, ogni fase di ogni ipotesi; avevano parlato e parlato di ciò che lui sapeva finché tutto era stato macinato, ridotto in granelli. La sua storia — la sua passione — altro non era, fra di loro, che una pila di sale: non era rimasto più niente che potessero setacciare. Lei era, inoltre, decisamente scet-

5 Ludvik Vaculík, narratore ceco nato nel 1926; Bohumil Hrabal, altro narratore ceco, nato nel 1914; Witold Gombrowicz (1904-1969), drammaturgo e prosatore polacco; Tadeusz Konwicki, scrittore, sceneggiatore e regista polacco, nato nel 1926. (*N.d.t.*)

tica riguardo ad ognuno di quei granelli, perfino riguardo al suo polacco, benché fosse stata proprio lei a presentare Lars a quella signora, una delle sue clienti, da cui aveva preso ripetizioni. La mente di Heidi era fatta così, per quanto Lars fosse in grado di intuire come era fatta la sua mente: passava dall'autoironia all'impudenza. Il suo svedese era quasi sfacciato da quanto lo padroneggiava, ma l'intonazione era completamente tedesca, e quando si lasciava scappare un paio di sillabe tedesche, cosa che faceva spesso, Lars aveva la sensazione di riuscire, per quell'unico istante, a guardare attraverso una botola dentro una sotterranea camera privata dove a nessuno era permesso metter piede. Per chiassosa che fosse, era di una riservatezza tagliente. Suo marito, per esempio — il misterioso, il remoto, il nebuloso dottor Eklund — faceva o lo psicanalista o il gastroenterologo: lei a volte alludeva a una cosa, a volte all'altra. E la sua vita di prima, che cos'era? Certo è che lei non voleva più essere ciò che era stata in precedenza. Era arrivata a Stoccolma dopo la guerra, come tanti altri, e subito aveva sposato il dottor Eklund.

Fra il retrobottega di Heidi e lo spazio pubblico del negozio si ergeva una barriera di libri. Di quando in quando Lars fantasticava che il dottor Eklund si nascondesse lì, dall'altra parte, al di là del raggio dell'arco giallo della giunchiglia. Oppure fantasticava che il dottor Eklund fosse morto. Cremato. I suoi resti erano in quella grossa scatola di latta per il caffè sullo scaffale dietro alla lampada; Heidi era vedova. Passò per la testa a Lars che gli sarebbe piaciuto sposare una donna così, indipendente, scorbutica, segreta, vecchia; una specie di eroina.

Era contento che fosse vecchia: voleva dire che era pronta a essere possessiva, i vecchi hanno un loro modo di impossessarsi dei giovani. Lei considerava Lars una sua scoperta, una scoperta di quattro anni prima di cui, diceva, adesso era arrivata a rammaricarsi. Lo aveva trovato in ginocchio accanto alla sua cartella davanti allo scaffale delle esse nella sezione Narrativa Straniera: un volto nuovo in negozio; ed era lì che si traccheggiava da più di un'ora su una copia di *Le botteghe color cannella* in polacco. Lei batté le mani nella sua direzione, come si fa con un animale innocuo per farlo andar via, e lui lentamente si volse per assorbire la sua ira, nient'affatto sorpreso ma stranamente assente, come uno che avesse avuto una visione: gli venne in mente all'improvviso che avrebbe detto a quella vecchia ciò che sapeva di sé. Fu la forma della sua testa ad attirarlo, piccola, arruffata, con quella ricciuta frangetta bianca che cadeva sui baffi irrequieti. Non aveva mai visto delle sopracciglia così. La testa era la testa di una pecora, ma lei era scaltra e impaziente come un leone. Lo avvertì che lei non permetteva che la sua merce venisse maneggiata prima della vendita. Si stava mettendo in guai seri, lo aveva osservato voltare le pagine non una ma cento volte. Ed era vero. Aveva immerso le dita in quella temuta stampa solo in parte familiare, come un macellaio che maneggia una pecora insanguinata, o un rimorchiatore che draga un fiume alla ricerca di un corpo.

«L'ha scritto mio padre», le disse.

Lei gli strappò il libro di mano e lo rimise al suo posto in mezzo alle esse straniere.

«Sono le cinque», disse. «Stiamo chiudendo».

«Lo comprerei», disse Lars, «ma ancora non riesco a leggerlo».

«Allora vada a casa a imparare il polacco».

«È quello che faccio», disse lui, e tirò fuori dalla cartella la sua grammatica polacca per fargliela vedere.

«Quella l'ha comprata da qualche altra parte. Noi non la teniamo, non è la migliore».

«Sono un profugo. Sono nato in Polonia». Mise via la sua grammatica e, chinatosi, riprese *Le botteghe color cannella*. «La mia lingua madre, e non so leggerla».

«Se non ha intenzione di comprarlo», disse lei, secca, «rimetta a posto quel libro».

«È già mio», disse lui, «per eredità».

«Lo rimetta a posto, la prego. Stiamo chiudendo».

Lui ebbe paura che lo spingesse fuori della porta. La sua voce era oleosa, strascicata, ironica: lo riteneva un pazzo. Ma lui tenne duro; l'aveva scelta, aveva deciso. Lei era la persona giusta. Le spiegò come, appena nato, tirato fuori dalla forca di sua madre, fosse stato fatto espatriare clandestinamente, attraverso tutto il caos sulla superficie dell'oceano che era la logica del momento, e mandato presso una parente a Stoccolma, anch'essa una povera profuga spaventata, una cugina anziana che aveva avuto un minimo di fortuna. Un gruppetto di altri bambini in fasce era stato portato via dalla Polonia — la Polonia invasa dai nazisti — e fatto entrare a Stoccolma allo stesso modo: un caritatevole viaggiatore svedese, ben pagato, sotto la protezione della neutralità del suo governo. Come in qualsiasi altra storia che si regga sulla sofferenza, il caso, il capriccio, la stupidità nelle sfere giuste, la compassione e il denaro, v'era anche in questa storia qualcosa di casuale, una casualità che gonfiava e gonfiava come un ascesso. La cugina anziana, persa e smarrita, scomparve di scena e Lars, nel bel mezzo della guerra, si ritrovò in casa della cognata vedova del viaggiatore caritatevole e mercenario. Questa cognata aveva già un figlio, e non aveva dunque alcun bisogno di averne un altro; con tutto ciò accolse Lars, nonostante i suoi occhi scuri, e ringraziò la sua buona stella che, col crescere, lo si potesse prendere per svedese, perlomeno finché nessuno sospettava qualcosa di differente. Non le piaceva l'aspetto di chi veniva da altri paesi, in special modo da quelli più lontani dal circolo polare artico di quanto lo fosse il suo. Lars crebbe nell'ingratitudine, e a sedici anni lasciò quella casa e andò a vivere per conto proprio nell'attico di qualcuno, pagandosi l'affitto grazie a un impiego come fattorino in un giornale. Già sapeva che il suo futuro era nella stampa.

Tutto questo Heidi lo stette ad ascoltare con una specie di rabbia contenuta. Lui aveva appena incominciato a raccontare come si fosse inventato un nuovo cognome prendendolo direttamente dal dizionario — lo interruppe nel bel mezzo. Spense le luci, chiuse a chiave la porta, e se lo portò nel retrobottega; lo fece sedere sotto la giunchiglia di cristallo e sputò il suo secco gargarismo nel piccolo lavabo. «Perché mi racconta queste cose? Perché dovrebbero interessarmi? Crede di essere l'unico che abbia una storia? Stoccolma è piena di profughi! Tutti i miei clienti sono profughi! Professori! Intellettuali! Io stessa ho la mia storia!».

Col pollice, Lars fece un arco dietro di sé verso il negozio in ombra. «Lei ha mio padre, là dentro. In originale. Questo è l'unico posto a Stoccolma che lo abbia in originale».

«Suo padre! Ha qualche rotellina fuori posto, lei, è un *Verrückter*.[6] Come fa a dire chi è suo padre, con una storia come la sua!».

Lui ci pensò un momento. «Be', in un certo senso ha ragione: non so chi sia mia madre. Non l'ho mai scoperto».

«Ma non sa neanche chi sia suo padre!».

«No, no, si vede la somiglianza. Tutte quelle foto...».

«Quali foto, dove? Dove le ha prese, chi gliele ha date?».

«Foto nei libri, voglio dire».

«Oh, nei libri! Se non sono di famiglia...».

«Ho tutti i particolari del suo viso, lo conosco a memoria. Conosco quasi ogni parola che abbia scritto. Padre e figlio. Ci assomigliamo come due gocce d'acqua. Lo stesso naso — lo vede il mio mento come finisce a punta? E non è neanche una questione di lineamenti: c'è un'affinità — la sua voce, la sua mente».

6 In tedesco nel testo: «pazzo». (*N.d.t.*)

Un grande sbuffo come uno squillo di corno eruppe da lei. Ma lo lasciava dire: non lo buttava fuori. La guardò affondare un cucchiaio nel barattolo di latta sullo scaffale dietro la lampada, proprio dove potevano esserci le ceneri del dottor Eklund. Stava preparandogli del caffè. «Teatrale. Autocommiserazione. È un orfano? Un orfano è vivo, che male c'è? E poi, lei è svedese quanto qualsiasi altro svedese. Perché questa scempiaggine di voler riportare a galla tutto, non importa a nessuno, vecchie storie di nazisti, crede lei che a qualcuno interessi ancora?».

«Gli spararono per la strada. Trucidato. La resistenza gli aveva procurato dei documenti falsi, a quell'epoca falsificare i documenti era un sacramento. Gli avevano già trovato un nascondiglio. Ma lui non volle lasciare casa sua. Era come incollato».

«E dove le ha sapute, tutte queste cose? Anche queste dai libri?».

«Ho letto tutto quanto. Non c'è niente che non abbia letto. Ho letto e riletto *Le botteghe color cannella* mille volte. Non saprei neanche dirle quante volte ho letto l'altro; in traduzione, però. È mio padre. Ho bisogno di leggere l'originale...».

«L'originale!».

«In polacco».

«In polacco, sì». Gli posò davanti, facendola traboccare, una tazza piena. «Uno sconosciuto, probabilmente pazzo, mi entra in negozio, mi strazia la merce, non compra nulla, asserisce di essere polacco ma non legge una parola di polacco, e io son qui che gli servo il caffè! Dio solo sa che cosa ne tirerebbe fuori mio marito. Il dottor Eklund», disse, «si interessa di comportamenti originali. Il dottor Eklund ed io capiamo benissimo quello che lei è».

«Gliel'ho detto, che cosa sono».

«Un impostore. Un altro profugo impostore. Non è una novità, mi creda! Metà dei miei clienti si sono inventati da sé. Contraffattori. Ogni polacco di una certa età che entra

40

qui dentro, uomo o donna, era un famoso professore universitario a Varsavia. Ogni ungherese era, un tempo, ambasciatore in Argentina. I francesi sono i peggiori: non ne ho mai avuto uno in negozio che non risultasse essere proprio quello che aveva iniziato Sartre allo studio del Talmud. Finora ne ho contate venticinque, di insegnanti donne del Talmud, povera Mademoiselle de Beauvoir».

«Quello che io voglio è un insegnante polacco», disse Lars.

«Fatto. Le procurerò l'insegnante più chic che si possa immaginare. C'è una signora che viene da Cracovia, estremamente versata in letteratura, anzi appartenente alla nobiltà, addirittura una Radziwill, imparentata col marito della sorella dell'Onassis americano, aveva un negozio di modista. Dà ripetizioni di polacco. Suo marito era altrettanto comunista di quelli che l'hanno cacciato via. Lei dovrà stare al gioco e chiamarla Dottoressa, a meno che non si faccia chiamare Principessa. Suo padre faceva il *maître*. Sua madre era una modista».

Capì allora che quello che lui aveva preso per rabbia era qualcos'altro: una febbre da isolamento. Era spesso sola, specialmente dopo l'ora di chiusura: il dottor Eklund, diceva, faceva le sue visite serali all'ospedale; a volte doveva andare fuori città. Il negozio, peraltro, era silenzioso anche durante la giornata; poteva passare un intero pomeriggio senza che entrasse un solo cliente. Lars osservò che la vetrina, piena zeppa, cambiava raramente. Gli unici libri in vetrina che si toglievano la polvere di dosso erano la famiglia reale e le fotografie di paesaggi nordici. Erano i turisti che li compravano, americani, inglesi e tedeschi. Non c'era una grande richiesta di libri stranieri, si trovava praticamente tutto in traduzione. In quanto ai profughi, avevano imparato lo svedese molto tempo addietro. Certo, l'Accademia ordinava sempre libri stranieri, ma li riceveva direttamente dall'estero: figurarsi se perdeva tempo con un negozietto locale. E fuori mano come era, chi mai sapeva della sua esistenza? Nonostante questi problemi, diceva Heidi, riusciva a cavarsela; ma se non fosse stato per l'incoraggiamento del dottor Eklund — per non dire del suo aiuto concreto, di quando in quando — dove si sarebbe ritrovata? Il negozio tirava avanti... be', non diciamo grazie alla fede, lei non credeva nell'invisibile: tirava avanti grazie alla stramberia umana. Non si poteva mai sapere che razza di curiosità umane potessero metter piede lì dentro e spendere duemila corone. Il dottor Eklund era un grande collezionista di tali curiosità. Le vite ingarbugliate lo interessavano, dai suoi pazienti veniva a conoscenza delle storie più bizzarre. Stessa cosa con una libreria: una calamita per fricchettoni, zingari, nomadi. Il mese scorso era capitato uno sceicco in carne e ossa, burnus e tutto quanto, coi sandali, senza calzini, le unghie dei piedi verniciate di rosso e ricoperte di neve, che cercava il *Kama Sutra* in arabo.

«E lei ce l'aveva?» domandò Lars.

«L'avevamo appena finito. È uno dei miei articoli che vanno di più».

Alla fine parve a Lars che Heidi non soltanto non avesse mai avuto nessuna intenzione di buttarlo fuori, ma anzi lo avesse più o meno rapito e se lo fosse chiuso dentro con sé. Da allora, era stato difficile capire chi fosse il prigioniero. Lars andava e veniva quando voleva anche se non poteva mai esser sicuro di essere benvenuto. «Ah, è lei», diceva Heidi, accigliandosi. «Proprio ora che sto aspettando il dottor Eklund. Dovrebbe esser qui a minuti». Una rovina di cupe rughe passava per i baffi neri. «Sono i suoi passi, esattamente come quelli del dottor Eklund: leggeri come il fumo». Questo voleva dire che ancora una volta il dottor Eklund era stato trattenuto, oppure che era andato direttamente a casa, all'appartamento. Un'altra volta rimproverò il ragazzo turco perché aveva preso un ordine da Lars. «Il signor Andemening non è che davvero lo voglia. Lui non è un cliente. Nessun ordine del signor Andemening va registrato a meno che non lo faccia io stessa, ci siamo capiti? Col mestiere che fa riceve gratis tutti i libri che vuole, e se ordina qualcosa qui è solo perché vuol far vedere che si guadagna da vivere». Una volta regalò a Lars un volume grosso come un mattone, era l'altra grammatica polacca, quella veramente buona che lui non possedeva. Per lo più, però, il traffico fra loro due andava nella direzione opposta: un paio di volte al mese Lars scaricava sul banco del registratore di cassa di Heidi una pila di copie per recensione arrivata al «Morgontörn». Questo la riempiva sempre di animazione. Voleva sapere se Anders ne aveva recensito qualcuna, e quali fossero state scartate da Gunnar. Leggeva quei signori sul «Morgontörn» il mercoledì e il venerdì; il venerdì le piaceva di più, perché il signor Fiskyngel era un tale attaccabrighe, era divertente. Quelli del signor Hemlig erano soltanto dei tentativi di essere faceto, e questo era assai meno divertente. Raramente diceva una parola a Lars a proposito del lunedì, e se lo faceva era per dargli addosso: «*Furchtbar!*[7] La gente comune non ha pazienza con quella roba. Dopo tutto, un giornale non è un seminario universitario. Mi meraviglia proprio che continuino a tenerla... Buon Dio, quel maledetto ragazzino turco ha preso un altro ordine da lei. Dopo che gli ho detto e ripetuto di non scarabocchiare...».

Lars la interruppe: «Un compito per la Principessa».

«Se sono libri polacchi che vuole, deve venire direttamente da me. Come fa un ragazzino turco...».

«Lei era fuori. Ha detto che era andata a fare la spesa».

«La spesa? Non era mercoledì? Il tardo pomeriggio? Ho accompagnato il dottor Eklund a comprarsi un vestito nuovo. Vuole sempre che vada con lui a scegliere la stoffa, non si compra neanche una cravatta se non ci sono anch'io». Scrutò l'ordine di Lars attraverso le grandi lenti

7 In tedesco nel testo: «pazzesco». (*N.d.t.*)

d'ingrandimento dei suoi occhiali da lettura. «*Sanatorio all'insegna della clessidra*. È un miracolo che quel ragazzo l'abbia scritto correttamente. Comunque non lo teniamo, lo vede da sé che c'è soltanto *Le botteghe color cannella*, sullo scaffale».

«Questo è quello che scrisse dopo *Le botteghe color cannella*. Il secondo. Quello prima dell'ultimo, l'ultimo era *Il Messia*».

«Be', le posso garantire che il mio rivenditore non ce l'avrà».

«Certo che il suo rivenditore non ce l'avrà, *Il Messia*!», esclamò Lars. «Non ce l'ha nessuno. È andato perduto».

«Questa roba bisogna farla venire da Varsavia», disse Heidi, placida, «perduto o non perduto. Ci vorranno delle settimane».

«Troppo tempo. Alla Principessa non va, si seccherà. Non vede l'ora di finirla, è lì lì per buttarmi fuori; in pratica mi ha congedato. Dovrò arrangiarmi da solo. Buttato fuori a calci».

«Si sarebbe detto che le avrebbe fatto piacere tenerla, non foss'altro che per i soldi».

«Prima dice che sto facendo progressi a passi da gigante, un momento dopo vuole liberarsi di me. Non crede in me, ecco perché».

Heidi sbuffò: «Credere in lei! Che cos'è, un prete, un santone?».

«Non lo accetta».

«Accetta che cosa, per Dio?».

«Che io sia figlio di mio padre».

«Non avrebbe dovuto parlarne. Una follia, parlarne! E dice che se lo tiene per sé, che non ne parla mai, che non lo racconta mai, che io sono la sola...».

«Lei è la sola».

«Oh, certo! Io, e la signora Rozanowska, e il signor Fiskyngel, e il signor Hemlig...».

«Non l'ho mai detto a nessuno, al giornale».

«Una le dà ripetizioni di polacco, e lei va a raccontarglielo».

«È stato un caso, non avevo nessuna intenzione di farlo. Stava facendomi leggere ad alta voce — sa, cerca di impostarmi l'intonazione; e allora io ho scelto quella parte sulla mobilia — ricorda? la mobilia a cui viene l'eruzione cutanea.[8] Le sillabe di mio padre — eccole che uscivano dalla mia bocca, con la mia voce, in originale».

«Povera signora Rozanowska. Ha paura che lei sia pazzo».

«In quanto a questo, lei pensa di essere una principessa!».

«Mica lo pensa. Lei solo *dice* di esserlo».

---

8 Si riferisce al «Trattato dei manichini (conclusione)», in *Le botteghe color cannella*. (*N.d.t.*)

5

Da quella volta, Lars avvertì un cambiamento: una saldatura, fra di loro. Improvvisamente lei fu disposta a invischiarsi con lui. Cominciò a fargli delle domande su come viveva, era chiaro che gli piaceva apparire sveglio nel bel mezzo della notte. Lars esitava a dirle come, grazie alla forza del suo segreto sonno senza sogni, avesse imparato a entrare dentro alla gola di suo padre, a vedere l'occhio di suo padre: il germe e nucleo, terrificante, della propria origine. Alla fine le disse che dormiva di giorno. Il resto lo tenne per sé: sapeva un po' troppo di magia. Altrimenti, non le nascondeva niente. Non era affatto sicuro che Heidi fosse convinta che lui era figlio di suo padre, si riconosceva convinta soltanto del fatto che lui ne era convinto. Adesso andava a trovarla quasi ogni sera. Lei gli preparava la cena nel retrobottega, mentre il dottor Eklund era via, spiegò, era più comodo vivere in negozio che nell'appartamento: il dottor Eklund era a Copenhagen a un convegno sull'igiene mentale che sarebbe durato più di una settimana, e poiché il dottor Eklund faceva il suo intervento nella sessione finale, era obbligato a restare, purtroppo, fino al termine dei lavori. Per cena, di solito, faceva uova strapazzate con le cipolle. Lars sbucciava le cipolle e le tritava su un tagliere posato sul minuscolo tavolino. Piangeva spaventosamente. Erano le esalazioni a farlo cominciare, ma quelle lacrime traevano origine da qualcosa che aveva a che fare col cuore. Era riconoscente: Heidi aveva fatto propria la sua condizione, gli si era affiancata come una compagna, una collega, una partner in quella sorta di collezione che aveva come oggetto il destino di suo padre. Lei già conosceva intimamente i libri di suo padre, non poi una grande impresa, diceva lei, visto che l'intero cànone consisteva, dopo tutto, di due soli volumi.

«Tre», diceva Lars. «Non dimentichi *Il Messia*».

«No, visto che è andato perduto. Non esiste. Non si può contare qualcosa che non esiste».

«Ma se stiamo parlando di tutto quello che ha scritto...».

«Non importa quello che ha scritto. L'unica cosa che importa è quello che c'è da leggere».

«Il manoscritto potrebbe essere sopravvissuto, in un modo o in un altro. Nessuno sa che cosa ne è stato».

«Se è scomparso, è andato distrutto».

«Oppure no, non è andato distrutto. Potrebbe esser stato nascosto. Quando arrivarono i nazisti lo dette via perché fosse messo al sicuro».

«E anche se lo dette via, è sparito nel nulla. Non esiste», ripeté Heidi. «Chiunque lo avesse venne deportato. Lei si aspetta sempre che ci sia quello che non c'è». Allargò le palme delle mani in un gesto di derisione: piccoli quadrati callosi che ormai avevano un modo familiare di accusarlo. Lo riteneva un maestro di inconsistenza, uno che fantasticava. Gli buttava là di continuo il suo scherno preferito: «*Hauch*»,[1] le piaceva dire, le sue idee non erano altro che una folata d'aria; lei non le prendeva in alcuna considerazione.

Era la fucilazione che la attirava. La fucilazione: l'assassinio. Fucilato per strada! Lars aveva il sospetto che, di suo padre, a Heidi interessasse più la morte che non i racconti, racconti in cui sostantivi e verbi, astuti e selvaggi, venivano avviati per una strada tortuosa a conoscere congestioni e trasformazioni magiche: una bicicletta ascende allo zodiaco, stanze di una casa vengono spostate, della carta da parati sibila, il calendario acquista un tredicesi-

---

1 In tedesco nel testo: «fiato». (*N.d.t.*)

mo mese.[2] Perdite, metamorfosi, degradazioni. In uno dei racconti, il padre si trasforma in un granchio con tanto di chele; la madre lo mette a bollire e lo serve su un vassoio al resto della famiglia.[3] Con un'alzata di spalle, Heidi liquidava tutto ciò: era la catastrofe dei fatti che lei voleva, il padre di Lars abbattuto a raffiche sul selciato di Drohobycz insieme ad altri duecentotrenta ebrei. Un giovedì del 1942, si dava il caso: il diciannove di novembre. Il padre di Lars stava riportando a casa un filone di pane.

Si preparavano per la loro serata di lavoro: la rilettura dei frammenti. Ormai avevano raccolto ogni brandello, ogni granello, e tuttavia la loro provvista era ben magra. Heidi aveva scoperto su uno dei suoi scaffali — fuori posto dietro Tuwim, il poeta — la traduzione de *Il processo* di Kafka fatta dal padre di Lars. Lars ne fu meno contento di quanto Heidi si aspettasse. Si lagnò che non gli interessava suo padre nel ruolo di fantoccio in grembo a Franz Kafka; quella che inseguiva era la voce propria di suo padre. Ma quando Heidi in qualche modo riuscì a procacciarsi attraverso un commerciante di sua conoscenza una fragile copia ingiallita del settimanale di Varsavia in cui per la prima volta era apparso «La cometa»,[4] Lars avvertì una fitta di gioia pungente come della cipolla. Il naso gli si inumidì. Fu come ritrovare un paio di guanti smarriti, come gli scaldavano le mani! Il polacco aveva finalmente cominciato ad assumere ai suoi occhi un aspetto familiare, e fu il sentirsi nelle mani surriscaldate il peso di quel periodico sbertucciato e maculato di ruggine, datato

2 Rispettivamente, in «La cometa» (vedi oltre, alla nota 4); «Trattato dei manichini (conclusione)»; «Trattato dei manichini, ovvero secondo libro della Genesi»; e «La notte della Grande Stagione», in *Le botteghe color cannella*. (*N.d.t.*)
3 Si tratta di «L'ultima fuga di mio padre», il racconto conclusivo di *Il sanatorio all'insegna della clessidra*. (*N.d.t.*)
4 «La cometa» fu pubblicato per la prima volta nel 1938, sulla rivista «Wiadomości Literackie». (*N.d.t.*)

cinquant'anni prima, che gli fece perdonare la Principessa per averlo sbattuto fuori. Non aveva più bisogno di lei; poteva fare da sé. Lesse — riusciva a leggere! — come il padre in «La cometa» ficchi un microscopio su per la cappa di un camino ed esamini la luce delle stelle infiltratasi nell'oscurità fuligginosa: la stella risulta composta di un cervello umano con un embrione affondato al suo interno. Heidi era indifferente all'idea di un omuncolo nel cielo. Diceva a Lars che erano tutte sciocchezze, immagini vaganti in insiemi magnetici. Lo rimproverava di ridurre suo padre ad una qualche sorta di mistificazione rituale; c'era, in tutto questo, un che di sotterraneamente iniziatico. I racconti di suo padre — animismo, sacrificio, mortificazione, ripugnanza! Tutto abnorme, tutto sregolato.

Eppure, Heidi gli restava fedele: non lo sbatteva fuori, come la Principessa. Heidi sembrava altrettanto assorta quanto lui nella loro magra provvista: insieme setacciavano le lettere, a una a una, leggendole ad alta voce, a turno. Le teste ravvicinate, scrutavano le fotografie. Il padre di Lars, da giovane, era sempre la figura centrale, l'unico maschio, circondato da donne. Lars imparò a memoria il viso di ognuna di quelle donne. Uno di essi avrebbe potuto benissimo essere il viso dell'amante di suo padre, uno qualsiasi. Una qualsiasi di quelle donne avrebbe potuto essere la madre di Lars. Heidi tuttavia non era d'accordo: il padre di Lars — lo sapevano dalle lettere — era troppo riservato, troppo isolato, troppo ossessivo, per entrare come nulla fosse nel letto di una donna. E anche le donne: quei visi: troppo mondani, troppo superficiali e soddisfatti, troppo *esteriori*, per appartenere a qualcuno che potesse diventare l'amante del padre di Lars. La sua amante doveva essere altrove, in qualche luogo segreto al di là delle fotografie. Avrebbe dovuto essere una donna che scriveva poesie. V'erano tante lettere indirizzate a donne con interessi letterari. Romana Halpern? No. Zofia Nalkowska?

No. Deborah Vogel?[5] No. Per una buona ragione o per l'altra, nessuna di queste candidate andava bene. C'era poi il fatto di Jozefina, la fidanzata cattolica, tuttora in vita. Una donna oltre gli ottanta, forse, che viveva a Londra.

«Dovrebbe andare a trovarla», diceva Heidi, «e scoprire la sua parte della storia. Prima che sia troppo tardi».

«Che bisogno ho di Londra? La parte di lei la conosciamo. Voleva sistemarsi a Varsavia dopo il matrimonio. Parlava perfino di Parigi. E lui non ne voleva sapere di muoversi da Drohobycz. Impantanato. Paralizzato».

«È una testimone vivente di quello che fu l'uomo. Potrebbe raccontarle tante cose. Potrebbe raccontarle come mai il matrimonio non ebbe luogo. Dovrebbe andare a parlarle».

Lars diceva, torvo: «Era la sua nemica».

«Lo amava più di quanto lui amasse lei, l'ha detto lui stesso! Come se non avessimo letto proprio quella lettera meno di una settimana fa! Come se non mi fossi rotta la testa per procurarmi quella lettera!».

«Lo voleva normale, lei».

Andavano avanti e indietro in questo modo su ogni punto, mettendo insieme le cose, litigando. Tracciati, residui, vestigia enigmatiche, su ogni viticcio facevano i loro calcoli e le loro speculazioni, i loro sondaggi e le loro ipotesi. La stessa Drohobycz un enigma: una località registrata sulla carta della Polonia soltanto nei caratteri più minuti. Quasi non c'era neanche. Addentrarsi nell'aspetto e nella sostanza di Drohobycz era come entrare attraverso il foro di uno spillo. I Chassidim del quartiere: scomparsi. Il negozio del padre di Lars, un negozio di tessuti: scomparso. Rimasto niente: non un nastro, non un di-

5 Fu grazie all'incoraggiamento di Zofia Nalkowska (1885-1954), autrice di numerosi romanzi, che Schulz si decise a pubblicare *Le botteghe color cannella*. Deborah Vogel era una poetessa che lo scrittore conobbe in casa di S.I. Witkievicz; morì, con la famiglia, nell'Olocausto. (*N.d.t.*)

tale. Fra Drohobycz e il padre di Lars era avvenuta una mutua digestione. Strada per strada, casa per casa, bottega per bottega, il padre di Lars aveva inghiottito Drohobycz per intero; Drohobycz era adesso dentro ognuno dei suoi racconti. E anche Drohobycz aveva inghiottito il padre di Lars: un salario da fame, un lavoro che lui disprezzava, una banda di parenti da mantenere — paralizzato, impantanato — come era possibile andarsene? Il padre di Lars era una gargolla sulla fiancata di Drohobycz, una escrescenza sul suo nervo più segreto. Una volta aveva fatto un viaggio a Varsavia. Una volta aveva fatto un viaggio a Lvov. Una volta era perfino arrivato a Parigi! Tutti quei nomi grossi che Heidi recitava leggendoli nelle lettere, poeti e pittori e filosofi e romanzieri, talvolta due o tre assommati nella stessa persona — Stanisław Witkiewicz, per esempio, noto col soprannome di Witkacy[6] — a che razza di fantasma vivente credevano di scrivere, un insegnante di arti applicate in una scuola secondaria, con addosso l'odore di colla e di vernice della provincia? Sotterraneo, immobile, tagliato fuori. Jozefina dopo il fidanzamento voleva che si battezzasse; lui si era rifiutato, ma aveva offerto una concessione: avrebbe rinunciato al mondo ebraico. La sua famiglia, del resto, aveva sempre tenuto le distanze da quel brulicante mondo di bizzarri Chassidim coi loro lunghi pastrani neri. Lui era polacco: si era già gettato sul petto scostante di madre Polonia, e le si era accoccolato sotto la lingua. Se dall'aria che aveva respirato aveva assorbito una parola o due di yiddish, mai che saliva o penna la restituissero.

Erano questi i loro aumenti di capitale, le loro spese accessorie. Si rendevano conto di quanto poco avessero. Piegavano e ripiegavano gli strati della esile vita del padre di Lars, e diventava sempre più esile. Avevano grattato da

---

6 Stanisław Ignacy Witkiewicz (1885-1939), drammaturgo, prosatore, filosofo, teorico dell'arte e pittore polacco. (*N.d.t.*)

Drohobycz tutto quello che c'era da grattare, e lo stesso dalla povera fidanzata. Lo vedevano — erano quasi alla fine: sperare in qualcosa di più era come strizzare una pietra per farne uscire del latte. Il resto erano citazioni, stralci, resoconti. Scommesse. Heidi era riuscita a metter le mani su una nota autobiografica manoscritta: il racconto di una cena a cui il padre di Lars e la fidanzata erano stati invitati. Il padre di Lars mangia senza emettere sillaba, muto; nel frattempo l'elegante Jozefina è tutta animata, loquace. La promessa sposa cinguetta, il promesso sposo è taciturno. La memorialista pensa dentro di sé: *Niente pane da questa farina*. Un vecchio detto, e profetico: non ne seguì alcun matrimonio. E una sera Lars telefonò dal «Morgontörn» per annunciare il recupero, dal cestino della carta straccia di Anders, di una recensione americana. Una recensione americana! Una sorpresa. Sono recensiti entrambi i libri. In America *Le botteghe color cannella* viene chiamato con un altro titolo: *La via dei coccodrilli*, da uno dei racconti più terrificanti. Il secondo libro è intitolato in inglese *Sanatorio sotto il segno della clessidra*, un trenino senza fine di sibili. Il terzo, quello perduto, non viene neppure menzionato. «Finalmente è arrivato dall'altra parte», disse Lars, agitato; «è andato al di là di questa piccola Europa». Promise di portarle la recensione al negozio entro un'ora, di deporla, per così dire, ai suoi piedi. Gli sembrava che quello di Heidi fosse l'unico cervello in tutta Stoccolma capace di apprezzare una simile offerta. Ma quando arrivò, i baffi neri erano irrequieti: era tutta vittoria e disprezzo. Gli sventolò in faccia una rivista sconosciuta.

«Guardi cosa c'è qui! Una lettera! Una nuova, pubblicata per la prima volta». C'era una locomotiva nel suo respiro; sbuffava euforia. «Scrive nel 1934, otto anni prima che gli sparassero. Ascolti questo! *Ho bisogno di un'anima amica. Ho bisogno di uno spirito affine vicino a me. Mi struggo per un qualche riconoscimento del mondo interiore di cui postulo l'esi-*

stenza. E lei crede di poter venir qui a vantarsi di aver trovato una recensione americana! Che cos'è una recensione? Nulla. Ascolti! *Vorrei poter posare per un momento il mio fardello sulla spalla di qualcun altro. Ho bisogno di qualcuno con cui scoprire...».*[7]

Lars disse, la voce rauca: «Dove l'ha trovato, tutto questo?».

«Tengo gli occhi aperti. Ho le mie fonti, io. Se c'è qualcosa che è rimasto in giro, lasci fare a me e trovo io il modo di scovarlo».

«Intende dire me», disse Lars. «Sono io quello che intende».

«La prego: basta così. Questo è anni prima che nascesse lei».

«Lei non lo capisce. Non sa. Lui sta pensando al futuro, una imposizione delle mani. Sta pensando al domani».

«Sta pensando a una donna», disse Heidi. «È una donna quello che vuole. *Qualcuno con cui scoprire*, vuol dire una moglie, no?».

«Un figlio. *Un riconoscimento del mondo interiore*, non può essere una moglie. Lui tiene alla propria intimità, non è una moglie ciò che vuole. Non l'ha mai avuta, una moglie. A Jozefina può rinunciare, ma alla solitudine no. La solitudine è proprio quello a cui non può rinunciare. Il fardello viene spedito avanti, un segnale attraverso i geni. Qualcuno con cui scoprire, è la prossima generazione».

Heidi schioccò la lingua, esasperata. «Se non è una donna ciò che cerca, perché mai, allora, tutte queste lettere sono a delle donne?».

«Ah!», fece Lars. Sentì il vantaggio spostarsi dalla sua parte. Era in grado di metterla nel sacco; gliela avrebbe fatta pagare, quella di sminuire la recensione americana. «La vita di un recluso, nessuno va o viene da quella casa se non attraverso delle lettere. Lui vive di corrisponden-

7 Lettera a Tadeusz Breza del 21 giugno 1934. (*N.d.t.*)

53

za. La gente lo lascia in pace. La solitudine alleviata senza l'intralcio della carne umana».

«Sua madre», ribatté Heidi, «non era un pezzo di carta».

«Mio padre trasformava tutto in carta». Fece un breve respiro di preparazione. «*La realtà ha lo spessore della carta...*».

«Non me lo declami un'altra volta: lo so come finisce. È quello che lei sempre...».

«*La realtà ha lo spessore della carta, con tutte le sue fenditure rivela...*».

«*... il suo carattere imitativo*»,[8] concluse Heidi. «Scempiaggini. Tutto un arrampicarsi sugli specchi. Quel che è reale è reale».

E ricadde nella sua poltrona sotto la giunchiglia; aveva quell'aria sonnolenta che a lui spesso appariva di reticenza. Si rendeva conto di aver avuto, ancora una volta, la meglio su di lei. Ormai era diventata una gara, fra di loro, una gara di assimilazione e di svelamento. Per un po' gli aveva tenuto testa, restando spalla a spalla con lui, era lì, pari a pari con lui. Capiva, assorbiva, divorava. Aveva le cose in pugno, aveva i fatti in pugno, aveva in pugno tutto quello che aveva lui; lo sapeva, e teneva tutto sotto controllo. Eppure, alla resa dei conti, altro non era che una spettatrice. Non era giusto: anche quando gli era alla pari, a pari non gli era, e non avrebbe mai potuto esserlo, perché l'autore di *Le botteghe color cannella*, l'autore di *Sanatorio*, l'autore dello scomparso *Messia*, non era suo padre. Per la natura stessa delle cose, Lars non poteva non essere avvantaggiato, sempre, sempre: lui era il figlio di suo padre.

Lei di questo lo puniva rendendolo orfano; sempre, continuamente, lo riportava alla fucilazione. Vi arrivava per le vie più diverse. Ogni volta era una sorpresa, un'imboscata. Poteva cominciare da qualsiasi parte, eppure sempre finiva per scaraventare Lars contro il giovedì,

---

8 Da «La via dei coccodrilli», in *Le botteghe color cannella*. (*N.d.t.*)

quel giovedì, il giovedì della fucilazione: giovedì diciannove novembre. Scoprirono — le ricerche di Heidi — che
fra gli ebrei di Drohobycz quel giorno terribile aveva un
nome: Il Giovedì Nero. E la caccia stessa, la caccia agli
ebrei per le strade, veniva chiamata «l'atto selvaggio».
Per quanto circospetto Lars cercasse di essere, Heidi era
sempre tanto più furba da intrappolarlo nell'atto selvaggio. Era ingegnosa, con i suoi tranelli. Lars stava magari
rimuginando una volta di più sullo scomparso *Messia*? Finiva nell'atto selvaggio, in un campo di sterminio, in un
assassinio. Era noto che il padre di Lars aveva affidato il
manoscritto (a chi? quando?) perché venisse messo in sal-
vo. Che fine avevano fatto *Il Messia* e la persona a cui era
stato consegnato? E questa persona, era un uomo o una
donna? un vicino o un estraneo? Ucciso durante l'atto selvaggio, quel Giovedì Nero? O magari deportato, finito
nella camera a gas. Il cadavere gettato nel forno; fumo,
su per il camino. E *Il Messia*? Se chi ne era in possesso era
stato falciato per la strada, *Il Messia* era forse andato sfa-
scicolato per tutto il selciato, per finire biascicato dai cani,
per imputridire nell'urina dei gatti? O *Il Messia* era tuttora chiuso in un vecchio cassettone in una casa di Drohobycz? O invece messo fuori con la spazzatura trentacinque
anni fa? O lasciato ammucchiato col cappotto e con le
scarpe di chi lo aveva con sé, nella montagna di cappotti e
di scarpe dietro a un reticolato nel luogo della morte?

Qualsiasi cosa toccassero, Heidi faceva tintinnare gli
anelli della sua catena, tutto aveva a che fare con la
fucilazione. Stavano sfogliando i disegni del padre di
Lars? Di sicuro si sarebbero imbattuti nell'atto selvaggio:
l'atto selvaggio era irresistibile. Già di per sé i disegni erano piuttosto sinistri: minuscoli, sghembi, tutti psicologia
e simboli. Abnormi. Che cos'erano, quei disegni? Panico
raggelato. Sfrenatezza immobilizzata. Lo stesso padre di
Lars, in una lettera a Witkacy, ne parlava come di immagini predestinate, *pronte e in attesa di noi all'inizio stesso della*

vita. Ve ne era uno di un signore in cilindro appena uscito da un albero e entrato in città; una bestia, in abito completo e col collo spesso — una specie di cane — lo importuna, gli appoggia sul gomito la zampa pesante, esortandolo, supplicandolo. Nascosto fra gli alberi a una certa distanza c'è un uomo, in piedi, che guarda, la testa completamente inghiottita dal fitto fogliame. Questo disegno aveva incontrato il gusto di un certo ufficiale della Gestapo, il quale, interessato ai suoi disegni, si assunse il ruolo di «protettore» dell'artista. L'ufficiale della Gestapo dette al padre di Lars un lasciapassare speciale per uscire dal ghetto — avevano messo su un piccolo ghetto a Drohobycz — e per entrare nella zona ariana della cittadina. In quella zona il pane si trovava, e così il padre di Lars era uscito. Era il giorno dell'atto selvaggio: tutto a un tratto le ss fuori a sciami; nonostante questo, il padre di Lars non fu fucilato a caso. Una ss lo riconobbe come l'ebreo dell'ufficiale della Gestapo, e lo falciò. Si diceva che quella ss fosse il «rivale» dell'ufficiale della Gestapo. Ma rivale in che cosa? Rivale perché?

«Lei fa in modo che tutto vada sempre a parare allo stesso punto», si lamentò Lars. «Il punto sbagliato. Non è lì che si deve finire. Mi fa andare fuori strada. Mi fa perdere il filo».

«Il filo? Quale filo? Cosa sarebbe, questo filo? Cosa sarebbe questa strada?».

«I libri di mio padre. Le sue frasi».

«Sostantivi, verbi! Tutto qui, secondo lei, sostantivi e verbi? *Frasi!* Soggetti! Predicati! Pezzi di carta!».

«Linguaggio. Letteratura». Lars emise un sospiro non più spesso di un filo d'aria: «Il genio di mio padre».

«Vada a bussare al portone dell'Accademia, gli dica di far entrare suo padre».

«Glielo avrebbero dato, il premio, se fosse vissuto».

«Be', forse c'è ancora una possibilità. Magari cambiano lo statuto e cominciano a darlo agli scheletri».

Rimase di sasso: lei era capace di penetrare con lo sguardo fino a vedere lo scheletro. Di colpo, Lars capì com'era che Heidi riuscisse a mettergli paura. Scheletri. Tutti quelli che le passavano davanti. Tutti i suoi clienti profughi. Probabilmente anche il ragazzino turco: lo trattava male, lo ingiuriava. Per non dire della ex ripetitrice di Lars, quella falsa principessa, che era anche cicciotella. E il dottor Eklund? Il dottor Eklund, quando a letto — il grande letto coniugale del loro appartamento — si rigirava accanto a lei nei trambusti notturni, trapanava anche lui, diritto fino allo xilofono delle costole? E la grande testa infantile e brizzolata di Lars Andemening: nient'altro che un teschio ripulito, quando lo fissava con quella piega di sonno nella bocca?

Urlò: «Mi sa che lei sia contenta che l'abbiano ammazzato a fucilate per la strada! Mi sa che abbia del tenero, lei, per le ss! Nostalgia della Gestapo!».

Si sentiva la testa tutta teschio. La guardò alzarsi dalla poltrona, con fatica: una vecchia.

«Dimostri che è figlio di suo padre», ordinò. «Perché non lo dimostra? Non dico dimostri che è un genio. Non dico dimostri i suoi sostantivi e i suoi verbi. Dico, dimostri che è suo padre».

«Ne conosco la voce. Ne conosco la mente». Un'urgenza a dire tutto montò dentro di lui. Ebbe voglia di dirle che conosceva l'occhio di suo padre, ma non lo fece.

«Perché non sceglie Kafka per esserne il figlio? Allora la gente le riconoscerebbe qualcosa. Rimarrebbe colpita. Si volterebbero a guardarla».

«Io lo so chi è mio padre. Lo conosco dal di dentro. Lo conosco più di tutti».

«Lo conosce dal di dentro», intonò lei. «Lei ne ha fatto una collezione, lei è un collezionista!».

«Certe volte», disse Lars lentamente, «mi escono di bocca le sue parole».

«Lei fa il recensore! Lei scrive recensioni! Nessuno vince il premio Nobel scrivendo di lunedì!».

Lentamente, molto lentamente, cominciò a raccontare. Si sentiva un sasso sulla lingua, ma cominciò. «Quando mi sveglio», disse, con fatica, «vedo l'occhio di mio padre. Sembra il mio, ma è il suo. Come se me lo concedesse per guardare».

«Lei vuole risuscitarlo. Vuole essere *lui*». Non si ammorbidiva. «Mimetismo. Far le belle statuine davanti a uno specchio. Ma a che pro? Che cosa gliene viene? Sta buttando via la sua vita».

«E lei, con la sua vita?». Il sasso cadde. «Se secondo lei non c'è pro, com'è che c'è anche lei? C'è dentro fino al collo, quanto me. Più di me, anzi: è lei che ha trovato tutte le cose migliori. Le lettere. Tutto ciò che proviene da Varsavia. Se non vale la pena per me, come può valere la pena per lei?».

«Quando il dottor Eklund è via, fa passare il tempo». Si abbandonò all'indietro, sotto la lampada; alzò la mano e la spense. «Il dottor Eklund mi sconsigliò, molto tempo fa, di dormire di giorno: fa venire le allucinazioni. Povero Lars, lei è un visionario. Non le serve a nulla. Se io non avessi il mio negozio a tenermi in piedi, passerei i pomeriggi a letto come lei».

Le ultime sillabe si persero nello spazio nero. Dalla strada, un rivolo di luce entrava fra un montante e l'altro della porta a vetri.

Lars venne a sedersi sul pavimento accanto a lei, stringendosi le ginocchia.

«Vuole del caffè?», domandò lei a un tratto.

«No».

«Prenda della vodka».

«No».

«Allora sarà meglio che vada a casa. È notte fonda».

«Non torno più», disse lui.

Una scheggia di risata grattò l'oscurità.

Lars disse: «No, è finita. Tutto quello che ottengo da lei è derisione. Basta».

«Lei vuole che le si creda sulla parola».

«Fiducia. Voglio fiducia».

«Vapore, fumo. Racconti, lettere, sono tutte allucinazioni di qualcuno. Come fa a sapere di non essere nato qui a Stoccolma? Un bambino in fasce, fatto entrare clandestinamente! È soltanto un racconto. Lei non sa niente di sicuro. Sua madre è una nuvola, suo padre una nebbia. Non c'è niente di attendibile, in tutto questo».

«A parte la fucilazione. A quella, lei ci crede».

«La morte è attendibile».

Tutt'a un tratto lei fu turbata; sollevò le mani, il gesto di una profetessa. Lui rimase attonito: gli stava consegnando il suo antico paesaggio, si faceva avanti perché ora toccava a lei. Era la sua vita — la sua vita di prima — che gli offriva, all'improvviso: la vita prima del dottor Eklund. La condensò e gliela porse nello slancio di due o tre linee, le sue braccia una linea nell'aria nera, il reticolato una serie di linee nere. Gli apparve davanti, nel buio, con la semplice chiarezza di un disegno a carboncino, una immagine predestinata. Seguì le linee nere, seguì lei, là al reticolato, mentre gettava involti al di sopra di esso verso le ombre dall'altra parte: da ragazza, disse, era vissuta in un villaggio non lontano da uno di quei campi, e la notte, più spesso che poteva senza farsi scoprire, strisciava per andare a buttare del cibo di là dal reticolato. Era come una gabbia, là dentro, stipata di bestie morenti. Lei udiva il loro raschiare, artigliare, coprire, soffocare; erano tutte ombre; avevano paura ad avvicinarsi. Le udiva strappare la carta degli involti; poi si ficcavano gli involti su per le maniche, dentro le scarpe; le udiva inghiottire e masticare. Ogni tanto vomitavano, o, con le urla strozzate di bestie con la museruola, esplodevano in fiotti di diarrea; intuiva tutto questo, nella notte cieca, dal rumore e dal puzzo pestilenziale. Spesso udiva degli spari;

non c'era senso, in quegli spari, non capiva dove o perché, non avevano direzione. A volte parevano scaturirle di tra i piedi. E immediatamente dopo la guerra prese la sua lampada a giunchiglia, soltanto quella, e qualche vecchio libro, venne su a nord, passò la frontiera, e si lasciò dietro la Germania. Non ci sarebbe più tornata. Se là aveva una famiglia, non ne fece parola. A Stoccolma trovò il dottor Eklund e lo sposò.

Lars non l'aveva mai vista così turbata. Qualcosa l'aveva toccata. Le guance le cascavano, pesanti come pasta sfoglia; tutto a un tratto assunse l'aspetto di un bulldog. Lui non le credeva: era una mentitrice. Quello che era stata una volta, lei lo rinnegava. Fu più per intuizione che per sospettosità che non le credette: la sapeva troppo lunga su quel reticolato, la parte di là, in mezzo alle ombre. Sapeva che cosa ne facevano dei pezzetti di carta, come pigiavano ogni ritaglio dentro i loro stracci per farsene una fodera contro il freddo, come se ne imbottivano le scarpe contro le piaghe. Aveva una prospettiva stranamente intima della fame e del vomito e dello scoppiare delle budella, era come una citazione in giudizio. E citava affidandosi a una memoria che era una memoria sotto voto, citava troppo bene, con troppa forza, troppa intensità: lo spazio notturno al di là del reticolato non poteva giustificare una citazione così sincera. Lars suppose che lei fosse stata fra di loro, ma nascosta, una delle ombre all'interno.

«Lei è una profuga», disse. «Una sopravvissuta. Come me».

«Come lei? Lei non sa quello che è! Al sicuro a Stoccolma tutta la vita! Lei non sa chi è!». Emise quella sua nuova risata sfrenata: canina. «Lei è pronto a dire di essere qualunque cosa!».

«Lei era dietro a quel reticolato. All'interno».

«Ero fuori. Udivo gli spari».

«Lei vuole nasconderlo. Ha paura di essere scoperta».

«Oh, certo, una marrana. Come quella sua idea a proposito della regina, povera donna!».

«Non vuole ammetterlo. Vuole liberarsene. Il suo nome», accusò: spiando, l'aveva visto scritto in uno di quei suoi vecchi libri. «L'ho visto, qual era il suo nome».

«Ce ne sono tanti, di bravi bavaresi che si chiamano Simon. Sono tutti cattolici».

«E lei che cos'è?».

«Di religione? Libraia».

«Una profuga», insisté lui, «come tanti altri profughi. È scappata. Una sopravvissuta».

«Stoccolma è piena di sopravvissuti», disse lei; era calma, adesso. Era ostinata. Non avrebbe ceduto. Anzi, gli porse la chiave. «Tenga, si apra la porta da sé. Tornerà, dica pure quello che vuole».

«No. Non torno, gliel'ho già detto».

Lei gli andò dietro, a passi silenziosi, fino alla porta. Quel tanto di paura che Lars ne aveva sempre avuto sembrò riscaldare la chiave mentre lui la girava nella toppa; poi gliela rimise in mano.

«Sarà lei che vorrà tornare. Pensi agli ordini che le devono arrivare! Polacchi, cechi! Vaculík, Hrabal, Konwicki. Witold Gombrowicz! Potrà non voler tornare per me, ma per Konwicki, per Gombrowicz...».

Lui uscì nel freddo: là dentro, dietro la porta, lei stava ancora ridendo. Derisione. Ma era vero: a causa di quelli sarebbe tornato. Si rese conto di come, dopo tutto, lei avesse avuto la meglio su di lui. Era contento di tenersi lontano. Potevano passare delle settimane prima che lei, col mulinello come con un povero pesce preso all'amo, lo facesse tornare a prendersi il suo ordine. Fino ad allora si sarebbe tenuto lontano da lei; avrebbe fatto di tutto per tenersene lontano. Ebbe, improvviso, il senso della propria solitudine. Si era immaginato che lei si fosse invischiata con lui, ma erano gli spari, soltanto gli spari, in cui lei era invischiata. Lo scheletro di suo padre.

6

Quel fine settimana andò a trovare la madre di Ulrika. Abitava nei sobborghi, in una zona fuori città che una volta era quasi campagna e che adesso stava diventando sempre più turca. La madre di Ulrika era orgogliosa della sua casa, era appartenuta alla famiglia, da parte materna, per sette generazioni. Il basamento era di pietra, il resto di vecchi mattoni color ruggine. Colpì Lars — non l'aveva mai notato — che i capelli di Ulrika fossero esattamente dello stesso colore: mattone, con una spolveratina di marrone. Birgitta, la sua prima moglie, era una bionda qualsiasi. Non aveva notizie di Birgitta da più di dieci anni. Si era risposata e aveva due bambini piccoli: tanto sapeva, ma a parte questo Birgitta mai gli veniva in mente. Verso Ulrika c'era stato un periodo in cui aveva provato molto risentimento, perché gli aveva portato via sua figlia in America. Ma il risentimento era ormai stantio, e quando la madre di Ulrika, tutta confusa, lo fece entrare in casa, Lars si rese conto che negli ultimi tempi anche a Ulrika pensava raramente. Perfino la sua bambina aveva cominciato a sbiadire.

«Lars! Dovresti farmelo sapere, quando vieni. Dovresti chiamare, per l'amor del cielo!».

«Non ce l'ho, il telefono».

«Una volta non eri un essere così primitivo. Guarda qui, sono tutta infangata, guarda come sono ridotta, ero in giardino...».

«Le ho portato una cosa. Il mio appartamento è così piccolo che non ho spazio per metter via niente».

La bocca della madre di Ulrika subito si strinse, risucchiandosi in dentro. Era un vezzo che Lars ricordava anche in Ulrika.

«Non posso tenerti della roba, Lars. Non sta bene. Non siamo più parenti. E poi adesso Ulrika ha qualcuno, in America, un ingegnere. Lavora per l'IBM».

«È una cosa di Karin, non mia». Tirò fuori dalla cartella un oggetto piatto e rettangolare e lo posò fra di loro sul tavolo del salotto. Era la vecchia scatola dei colori di sua figlia.

«E che cosa dovrei farmene?».

«La metta via, da qualche parte».

«Non ha senso tenere una cosa per bambini come questa. La prossima volta che la vedrò, Karin sarà cresciuta. Se vuoi, ti faccio vedere le sue ultime istantanee, sono arrivate proprio la settimana scorsa. Una ragazzona alta così. Tutti quei capelli neri, ha preso da te prima che tu diventassi grigio. E poi guarda», disse, «i colori sono tutti secchi, non sono neanche più buoni».

«È tanto che sono così».

«E perché vuoi tenerlo, un affare secco come questo?».

«Come ricordo».

«Dio ce ne scampi: la tua idea di un ricordo! È perché non sai che cosa voglia dire ereditare qualcosa, Lars. Non che te ne faccia una colpa. Ho sempre avuto dell'affetto, per te».

«Fin da piccola a Karin piaceva dipingere», disse Lars.

«A tutti i bambini piace sporcare».

Quella vecchia vedova ignorante. Pensò ai disegni di suo padre: *pronti e in attesa di noi all'inizio stesso della vita.* È possibile che queste immagini predestinate trascorrano di generazione in generazione?... Ricordò come era rimasto sbalordito vedendo certe linee fantomatiche, sfrenate, curiosamente potenti e vigorose, scorrere dal piccolo pugno grintoso di sua figlia: la potenza dei geni. Ulrika ci aveva fatto poco caso.

«Glielo avevo detto, a Ulrika», disse la madre di Ulrika, «come sarebbe stata dura per lei se sposava un orfano. Noi siamo una famiglia che ha sempre posseduto la sua casa. Questa stessa casa dove siamo seduti ora, pietra solida, buoni mattoni, tu che parli di ricordi! E un bel giardino, anche. Ulrika, le dissi, noi sappiamo chi siamo. Veniamo di qui, e di qui siamo sempre venuti. Glielo avevo detto che andare con un orfano sarebbe stato come andare con gli zingari. Non è colpa tua, Lars, ma non è stato giusto, per Ulrika. Non credere che non glielo abbia detto! È finita per diventare una zingara anche lei. Lo sa solo Dio quando ritroverà la via di casa, se mai la ritroverà. Ormai parla americano giorno e notte, e anche nel sonno. Karin in quelle fotografie sembra americana al cento per cento, non ti pare? Quelle scarpe! Ulrika non dovrebbe permettergliele, delle scarpe così. E quei capelli scuri. Non avrei mai pensato che avrei avuto una nipotina scura come uno di questi turchi qui intorno. Sono dappertutto, ormai, ce li ho come vicini da una parte e dall'altra della casa. Non posso neanche lavorare in giardino senza che ci sia qualche turco che sta lì impalato a guardarmi. E le donne peggio».

Rimase lì seduto con lei per un'altra ora, scoprendo Ulrika in ognuno dei suoi gesti: non l'aveva mai osservato, prima di allora. Ogni tanto abbassava lo sguardo alle fotografie di sua figlia. Era evidente che sarebbe venuta su alta, ma a parte questo l'avrebbe appena riconosciuta come sua. Ancora non si era rassegnato a quel nome, lui che aveva scelto il proprio, e dal dizionario, come una formula magica! Karin: era stata Ulrika a volere quel nome banale. Lars aveva sognato una delle quattro Matriarche: Rachele, Rebecca, Sara, Lia. Nelle fotografie (le teneva come un mazzo di carte, quasi con insolenza) Karin si allontanava da lui; sembrava niente più che un calco in gesso, con gli occhi vuoti. L'originale era altrove. Nelle fotografie era più grande e più volgare della bambina vispa della cui scatola di colori intendeva disfarsi. Un giorno

64

avrebbe forse potuto rivederla. Se avesse avuto nostalgia di lui, sarebbe venuta a cercarlo. Avrebbe studiato il suo caso, se lui lo meritava; perfino un bambino può diventare un esperto di perdite. Si domandò se avrebbe dovuto riprendersi la scatola dei colori: la madre di Ulrika l'avrebbe solo buttata via, era chiarissimo. Ma la lasciò lì.

7

Era stato facile tenersi lontano da Heidi. Facilissimo, lo sentiva. Heidi non era nulla, per lui; non aveva perduto nessuno, perdendo lei. Tuttavia, di tanto in tanto era afflitto da una pesantezza, un ispessimento dei polmoni, uno sbandamento interiore che era glutinoso come il lutto.

Stava passando lungo l'Accademia, e si accorse che quel respiro grosso, quella viscosità, era soltanto normalissima rabbia. La signora Eklund! Era gelosa: aveva chiamato lui un collezionista, e suo padre uno scheletro. *La moglie di un dottore ti considera o un pazzo o un ciarlatano*: questo veniva dall'ultimo mucchietto di lettere che Heidi era riuscita a procurarsi da Varsavia: lei, ad alta voce, aveva letto quell'insulto con zelo. «Senza dubbio una cattiva traduzione», aveva aggiunto, per correttezza. Lui afferrò l'originale polacco: le parole non cambiarono posizione. Erano di Witold Gombrowicz, uno dei vecchi amici epistolari di suo padre. Sei anni prima della fucilazione (il conto lo aveva fatto Heidi) il padre di Lars in una lettera aperta alla stampa aveva sputato fuori la sua replica pungente alla moglie di quel dottore e alle sue opinioni: *Caro Witold [...] Questi sono gli istinti della massa che eclissano dentro di noi ogni chiarezza di giudizio, reintroducendo le arcaiche epistemologie barbariche, l'arsenale di logica atavica e bancarottiera. [...] Ti schieri dalla parte dell'inferiorità.* Quella povera moglie di un dottore, una donna che Gombrowicz aveva incontrato sul tram numero 18, nel 1936, in via Wilcza. Probabilmente era vero che Gombrowicz si era schierato dalla parte di lei. Era esasperata: il padre di Lars era troppo al di sopra di lei. Un pazzo o un ciarlatano: lo condannava perché lui era al di là della sua portata. Epistemologie barbariche!

Doveva essere vecchia, ormai, quella moglie di un dottore che Gombrowicz aveva incontrata sul numero 18, vecchia quanto Jozefina, la fidanzata; oppure era morta. Anche Gombrowicz, quel burbero umorista, era morto. *Ti schieri dalla parte dell'inferiorità.* Al di sopra dell'Accademia, nel cielo notturno, ondeggiante sulle ali del vento su in alto nella neve che scendeva, Lars vide, o intravide, il corpo di suo padre, nient'affatto uno scheletro: una apparizione incandescente, fluttuante di luce, gonfia, con la luce che tendeva la pelle di suo padre fino a renderla della più pallida trasparenza. Questo padre-pallone, emanando luminosità, si allontanò lentamente nel flusso bianco e scomparve: dapprima una macchia confusa, poi una chiazza, poi nulla. Sopra il tetto dell'Accademia adesso c'era soltanto la pioggia dei trattini di neve che scendevano luminosi.

Era un giovedì sera. Al «Morgontörn», alla scrivania di Anders, nel cubicolo di Anders, Lars — rigido, elettrico, ansioso — stava battendo a macchina la sua recensione per il lunedì successivo: un romanzo di Danilo Kiš, tradotto dal serbo-croato; e c'era Gunnar che gli stava sopra, canzonandolo e stuzzicandolo, e c'era Anders che stava appena uscendo dall'ascensore, emettendo vapore di drago, striato e segnato di neve che si scioglieva. Anders, scalciando, si liberò delle galosce e allungò la mano verso la sua vodka. Il topino scappò. La pagina di Lars era punteggiata di errori. Cominciò a ribattere la prima frase: *Ci troviamo in un universo ristretto come una trappola, dove gli unici eroi sono delle vittime, dove la mutezza è privilegio degli intrepidi.* Un grande soliloquio, di colpo provò nausea delle proprie parole trite, funeree, affettate. Tutta posa. Un senso di vertigine lo percorse. Loro due, Gunnar e Anders, vorticavano intorno a lui — una coppia di disperati attori da avanspettacolo, rivali, fratelli siamesi. Facevano il loro vecchio numero: caprioleggiare e cavillare, becchettarsi l'un l'altro, becchettare Lars. Anders porse a Lars un foglietto: era Heidi che lo chiamava. Lo voleva, si arrendeva. Ma il messaggio, scarabocchiato dalla sonnolenta telefonista del «Morgontörn», era mezzo incomprensibile: TELEFONATO LA SIGNORA EKLUND DICENDO DI SUA SORELLA. Quella scema d'una ragazza, giù dabbasso. Lars, nel corridoio, riempì obbediente il bollitore di Anders al rubinetto. Nel cubicolo di Anders, Gunnar stava intonando *ristretto come una trappola, dove gli unici eroi sono delle vittime*, e tutto il resto. Lars si vergognò. Non riusciva a arrabbiarsi con quelle vittime divertenti, ma si sentì senza peso nel mondo, una molecola che se ne andava ballonzolando giù per un canale di scarico. «Signori», disse, «me ne vado», e lentamente uscì, per andare a ritirare i suoi cechi e i suoi polacchi al negozio di Heidi.

8

Di là dalla piazza, sopra l'Accademia, la forma rigonfia di suo padre si era da tempo disintegrata fra le guglie grigie e la neve che si rovesciava in diagonale. Un odore di qualcosa che stava arrostendo, che cos'era? Attraversò il ponte sulle chiuse, dove il Baltico salato gli urlava sotto i piedi. Si era tenuto lontano per più di tre settimane. Heidi gli fece raffreddare i piedi prima di venire a aprire.

«Puzza come una pecora in calore», si lamentò. Lui sudava per la veloce camminata — quasi una corsa — nella neve fresca. I suoi stivali sgocciolavano. Lei glieli fece lasciare nel vestibolo; brontolò che la stava interrompendo, era nel mezzo del lavoro, proprio quel giorno era arrivata una grossa spedizione. Tuttavia, dal lungo, lento sbadiglio indifeso, Lars capì che era stata appena svegliata dai colpi del suo temperino sul vetro. Passava la notte sulla branda nel retrobottega. Il dottor Eklund era da qualche altra parte; Lars ebbe la sensazione che questo la imbarazzasse.

«Non c'è che lei, a volere questa roba», gli disse; era, questa osservazione, una cosa che lei diceva sempre. Vaculík, Hrabal, Gombrowicz, Konwicki. Fece una pila del suo ordine sul tavolino nel retrobottega. «Che nomi! L'avevo detto sì o no che questi tizi l'avrebbero fatta ritornare?». Sbadigliò di nuovo, ma con una certa insistita soddisfazione. «Perché non è venuto la settimana scorsa? Quando ho telefonato?».

«Anders ha trovato il messaggio sul tavolo della telefonista un'ora fa», disse Lars.

«Un'ora fa? Bel giornale, quello per cui lavora! Capaci

di dar notizia della fine del mondo con una settimana di ritardo». Fu presa da una strana eccitazione. «Troppo tardi, è arrivato troppo tardi, giorni di ritardo. Pensavo che avrebbe avuto il buon senso di venire immediatamente. L'ho tenuta qui a aspettare tutto il pomeriggio».

«Chi?».

«Una donna che ha un certo interesse per il polacco».

Era circospetta, infida. Nelle tre settimane in cui si era tenuto lontano non aveva dimenticato come poteva essere pericolosa, come poteva sempre disorientarlo.

«Se la Principessa mi rivuole», disse, «è lei che è in ritardo. Mi ha sbattuto fuori quando credevo di avere ancora bisogno di lei. Adesso non mi serve più», ma riconobbe nel proprio gracchiare — buttando giù quel po' di vodka che Heidi gli aveva dato quando lui l'aveva chiesta — che fra di loro c'era qualcosa di nuovo.

«No, no, non la signora Rozanowska. Gliel'ho detto chi era, al "Morgontörn", gliel'ho detto, e come. Hanno assicurato che l'avrebbero messo nel messaggio. Dio mio, Lars, se lei avesse un suo telefono nel suo appartamento come una qualsiasi persona normale...».

Lui tirò fuori il biglietto ripiegato che Anders gli aveva portato, e lo guardò. TELEFONATO LA SIGNORA EKLUND DICENDO DI SUA SORELLA. La neve era riuscita a entrargli nella tasca e aveva bagnato tutto quello che c'era dentro. Quelle parole assurde avevano cominciato a stingere. «Io non ho nessuna sorella. Non c'è nessuna sorella, in questa storia. Lei lo sa benissimo».

«Probabile che sia così. Non pensavo che fosse davvero sua sorella. Ci ho sentito puzzo di bruciato fin dal primo momento». Heidi mise in atto uno dei suoi calcolati cipigli, si beava di far la parte della scandalizzata. «Non dico non ci fosse una somiglianza, ma il fatto è che non è più tornata. Ha detto che sarebbe tornata, e non è più tornata. Le ho chiesto di lasciarlo qui per lei, ma si è rifiutata. E non posso neanche darle torto, se è autentico».

«Lasciare che cosa? Se che *cosa* è autentico?».

«Mio caro ragazzo» — mai si era rivolta a lui in quel modo, a lui con la sua testa brizzolata! ma in quelle parole c'era un peso che arrivò a segno — «ha il manoscritto del *Messia* in un sacchetto bianco di plastica. Se lo porta in giro così. L'originale. Proprio quello. L'ho visto coi miei occhi».

«*Il Messia*? Nessuno ce l'ha. È scomparso. Non esiste più».

«Ce l'ha nel suo sacchetto».

«*Chi* ce l'ha, perdio?».

«Sua sorella».

«Non c'è nessuna sorella. Una truffatrice. L'ha messa in mezzo».

«Lei non ha detto di essere sua sorella. Io ho soltanto tirato la conclusione».

«Ha tirato la conclusione!», urlò lui.

«Be', se quella dice di essere la figlia dell'autore del *Messia*, e lei è il figlio dell'autore del *Messia*, ne consegue che quella è sua sorella. Mi sembra ragionevole».

«Le sembra ragionevole! La figlia! Non c'è nessuna figlia! Non c'è nessun *Messia*!».

«Non molto tempo fa era di opinione diversa».

«Il manoscritto è scomparso, non c'è nessuno al mondo che la pensi altrimenti».

«Era proprio lei a dire che poteva esser stato nascosto».

«Chiunque ce l'avesse è finito deportato. Chiunque ce l'avesse è morto».

«Quella lì non è morta. Mi ha detto che la ragione per cui ce l'ha è semplicemente perché è sua figlia. Nessun altro avrebbe potuto impossessarsene. Fu salvato esplicitamente per lei».

Lars disse: «Non c'è posto per un altro figlio, in questa storia. Non è possibile, non può essere. La storia lei la conosce quanto la conosco io. Ci sono soltanto io».

«Be', forse c'è lei e forse no. Ma se c'è lei, perché non potrebbe essercene un'altra?».

71

«Che cosa ha detto? Esattamente?».

«Che la persona che ha scritto *Il Messia* era suo padre».

«Ma è *mio* padre!», gridò Lars.

Heidi si lasciò scappare uno sguardo furfantesco. «Se il manoscritto non esiste, e la figlia non esiste...».

«Lo sa benissimo che non c'è nessuna figlia».

«... allora forse non c'è neanche nessun figlio».

«Io sono qui. Eccomi qui».

«È esattamente quello che ha detto lei. Una annunciazione biblica. È altrettanto convinta di quanto lo è lei».

Con in testa un berretto bianco. Più o meno della stessa età di Lars, almeno a giudicare dai capelli, che stavano appena incominciando a ingrigire benché soltanto da una parte di una scriminatura centrale leggermente antiquata; il viso era limpido come quello di un bambino in fasce. V'era certamente una somiglianza, non forte — non era una gemella — ma, in qualche modo, ricca di suggerimenti. La somiglianza consisteva in ciò che era assente, in una sorta di espressione che lei non aveva. Non aveva un'espressione soddisfatta. Non aveva un'espressione, be', *normale*. Questi suggerimenti negativi avevano fatto sì che Heidi prestasse attenzione, benché non subito: Heidi era all'erta in attesa del dottor Eklund. Il dottor Eklund stava per tornare da Copenhagen. Quella donna era emersa dal nulla — emersa dalla neve — con il suo sacchetto bianco di plastica. Heidi l'aveva tenuta d'occhio, la gente che rubacchia nei negozi porta sempre con sé cose del genere. Ma la donna non si era avvicinata affatto agli scaffali: era passata tra l'uno e l'altro senza fermarsi. Il negozio era immerso in una sfrenata brillantezza mattutina: il riflesso della neve entrava bizzarro con fendenti di luce del sole ancora basso, fin troppo brillanti per gli occhi. Tutto quell'esagerato biancore sembrava essersi concentrato nello stretto vestibolo del negozio, e aveva trascinato la donna oltre la soglia. Aveva chiesto al ragazzo turco della proprietaria, era la proprietaria che voleva, a causa di quelle pile di libri stranieri in vetrina. I libri stranieri l'avevano attirata; prima di allora non aveva mai notato quel negozio. Aveva l'abitudine di camminare per tutta Stoccolma, ma era ancora nuova della città. Aveva qualcosa di straordinario, qualcosa di stupefacente, nel suo sacchetto. C'era qualcuno, qui — magari la stessa proprietaria — in grado di leggere il polacco? Oppure che avesse accesso alla intellighenzia polacca locale? Proprio in quel sacchetto, quello che teneva in mano (era leggero, non si trattava di un grosso tomo) c'era l'opera di un genio che, si dava il caso — non si sarebbe messa a fare la reticente, a questo proposito, non avrebbe nascosto la luce di *lui* sotto il moggio! — che si dava il caso era suo padre. Morto. Trucidato. Una vittima, molto tempo prima, ma immortale. E lei era sua figlia. *Eccomi qui!* Aveva ereditato l'ultimo manoscritto conosciuto di suo padre, un capolavoro che il mondo intero riteneva fosse stato spazzato via, cancellato, svanito. Meritava di esser tradotto in svedese, cosa che lei non era in grado di fare. Meritava di esser tradotto in tutte le lingue della terra. Una cosa visionaria — il titolo stesso indicava fino a che punto visionaria — oh, stupenda, non la si poteva certo spiegare in quattro parole. Era possibile che la proprietaria conoscesse qualcuno in grado di fare qualcosa per un manoscritto come quello? Redimerlo, concedergli la salvezza, diffonderlo come un vangelo? Il punto era che lei cercava un traduttore.

«E allora lei le ha suggerito la Principessa», l'aggredì Lars.

«Ho suggerito lei».

«Ma cosa dice? Che cosa le ha raccontato?».

«Le ho raccontato che lei nel polacco ci sguazza. Le ho raccontato che ce l'ha nel sangue, non che lo parli come uno di madre lingua, ma certo come qualcuno che ne è invasato! Le ho raccontato che lei è matto per la letteratura. Le ho raccontato che è un esperto dell'autore del *Messia*. Tutto questo, le ho raccontato».

«Ma non il fatto più importante. Quello no».

«Quello è il suo segreto, no? Lei continua a mantenerlo, a parte quando lo va a spifferare. Come potevo andare a raccontare una cosa che lei non racconta? Il guaio è che lei non si fida di me».

«Se quella aveva un accento...». Inghiottì. «Che tipo di accento?».

«Come faccio a saperlo? Anch'io ho un accento».

«Il nome, allora. Avrà dato il nome».

«Elsa. No, Adela. Mi sembra che fosse Adela. Ora non venga a infastidirmi con queste cose, Lars. Io ho cercato di mettermi in contatto con lei, dopo tutto. Ho lasciato quella comunicazione al "Morgontörn", che altro potevo fare? E poi l'ho fatta aspettare e aspettare. Alla fine si è stancata di aspettare e se ne è andata, può darle torto?».

«Dove vive?».

«Non me l'ha detto».

«Ha lasciato un numero di telefono?».

«Ha detto che preferiva tornare».

«Ma non è tornata. Da una settimana. L'abbiamo persa, ed è una pazza truffatrice...».

«Qualcosa c'era, in quel sacchetto».

«Non era *Il Messia*».

«In tal caso, che gliene importa se l'abbiamo persa?».

V'era adesso, fra loro, un senso di spossatezza, come se fossero appena corsi fuori da una casa in fiamme. Il puzzo di bruciato trasudava dai vestiti di Lars, una esalazione che gli saliva dalla pancia, le ascelle, le tasche fradice sul sedere, i piedi umidi di neve. Lo sguardo di Heidi era come brace. La bocca le ricadde, sonnolenta. Lars si domandò se, con tutto quel suo talento per rigirare le cose, avesse consegnato la sua storia — il fatto profondo — al dottor Eklund; o se gli avesse consegnato la propria storia: il reticolato. All'ultimo istante lei aveva riportato in vita la loro vecchia abitudine del «noi», non gli era sfuggito, questo. Ma non si poteva contare su di lei: gli passò per la mente che la donna col berretto bianco, nel brillante biancore della mattina, che portava un *Messia* peso piuma dentro un sacchetto bianco, fosse — se non era un angelo — una menzogna.

«Qualcosa sta bruciando», disse.

«Oh Dio! La stufa. Vada a vedere, Lars. Mi sa che non ho più spento il fuoco sotto la pentola, da questo pomeriggio. Sto diventando vecchia».

Lui fece due passi. «Il fuoco è spento. Non era acceso».

«Allora è il puzzo della colla, la colla per rilegare dell'ultima spedizione. Certe volte ha questo puzzo. Oppure è lei. Sudore. Una pecora in calore. Smog». Stava appannandosi, venendo meno, una luce che si offuscava. C'era qualcosa che la estingueva. «Il tetto di neve che preme. Tiene il fumo a terra. Nelle strade. Ogni comignolo in città emette fumo...».

«Sì, potrebbero essere i comignoli», ammise lui. Un ghiribizzo dell'atmosfera. Meteorologia. Stoccolma che bruciava sotto la cenere ai margini più settentrionali dell'Occidente industrializzato, case a grappolo, guglie come un esercito di baionette, isolati di uffici, fabbriche, appartamenti, computer, la foschia sabbiosa delle abitazioni, esitazione, consumo, logorio, deterioramento, spreco. Il puzzo terribile dietro quel reticolato. Perfino la scia degli angeli, è noto che le ali bianche degli angeli, quando passano a stormi, si lasciano dietro l'odore di penne che bruciano.

Pensò a quel tanto di paura che aveva. «Il dottor Eklund», disse, «quand'è che è tornato da Copenhagen?».

«Non è tornato, ancora. Santo cielo, ma non lo vede in che condizioni sono le strade? Gli aerei non decollano, con un tempo così».

«Ma non doveva finire parecchi giorni fa, quel convegno?».

«Quale convegno?».

«Quello a Copenhagen».

«Non era un convegno. Confonde Copenhagen con qualche altro posto. Un consulto. La prima ballerina del Balletto Danese: si rifiutava di esibirsi. Si rifiutava di metter piede sul palcoscenico».

«Il dottor Eklund non è a Copenhagen», disse Lars.

«Be', forse no. Lo sa Iddio dov'è che è rimasto bloccato. Non si può mai sapere».

Si avviò lenta verso la branda. Voleva la sua branda: era vecchia e aveva molto sonno. Voleva che lui se ne andasse. Ma Lars insistette, sentì i suoi denti affondare: «Il dottor Eklund», disse, «non è bloccato da nessuna parte».

Notò che lei portava le pantofole. Se le tolse sotto la giunchiglia e gli porse la chiave. «Richiuda, quando esce. Può riportarla la prossima volta». La prossima volta: si aspettava che ricominciasse. Prima di allora non gli aveva mai affidato la chiave, e adesso voleva che se la portasse via. La osservò mentre si piegava per srotolarsi le calze tenute ai ginocchi dagli elastici; poi si lasciò ricadere sulla branda in disordine. Ciuffi bianchi di capelli volarono dal cuscino. Lei spalancò la bocca e fece un altro sbadiglio; gli occhi le lacrimarono. «Se non è bloccato, allora sta per arrivare».

«Signora Eklund».

Aveva il viso contro il cuscino. La sua voce si allungava, si faceva sempre più esile. Stava dissolvendosi. «Mi raccomando, riporti qui quella chiave al più presto. È una di quelle di riserva del dottor Eklund. Non è che le perda, le lascia di qua e di là, all'ospedale, nell'appartamento».

Lars disse, con voce ferma: «Lei è qui tutta sola tutte le notti. Non c'è nessun appartamento. Non c'è nessun dottor Eklund».

«Vada via. Si prenda i suoi libri e vada via. Ho bisogno di dormire. Sto dormendo».

«Il dottor Eklund è un fantasma».

«No, no, non capisce, non vede», gemette lei nel cuscino. «Ha ripreso a ballare. La prima ballerina».

La chiave gli si stava riscaldando in mano. «Una profuga, un'impostora», disse lui. «Ecco che cos'è lei».

Nel piccolo vestibolo, reggendo fra le braccia cechi e polacchi, si rimise a fatica gli stivali, traballando prima su una gamba poi sull'altra e appoggiandosi contro la vetrina. Esattamente dove si era fermata lei — la cosiddetta figlia — con il suo sacchetto di plastica bianco. In cui erano sistemate, o buttate là alla rinfusa, certe pagine manoscritte, qualunque cosa fossero. Nella vetrina, i membri della famiglia reale, tirati a lucido, erano ancora sprofondati, benevoli, nei loro sofà, e i gabbiani punteggiavano il Lago Vänern; e intorno c'erano quelle pile torreggianti di russi e sudamericani e inglesi, tante urgenti necessità straniere che blateravano. Nel largo cerchio di luce gettato, come un cappio, dal lampione, la chiave entrò dritta nella serratura, senza difficoltà. In questo preciso punto lei — la cosiddetta figlia — aveva deciso di rivelarsi. *Eccomi qui.*

«Sta per arrivare», udì Heidi dire ad alta voce dal retrobottega. Un gemito; o non proprio un gemito: piuttosto, il suono di sillabe indecifrabili evaporanti in fondo al mare. Tedesco? Polacco? Serbo-croato? Un balbettio straniero, incomprensibile. Si mise la chiave in tasca. Gli bruciò contro la coscia. Quel tanto di paura. E poi pensò: guarda! non brucia, non sta bruciando. Non c'è nessun dottor Eklund. Il dottor Eklund non esiste. Il dottor Eklund è un fantasma. *La realtà ha lo spessore della carta, e con tutte le sue fenditure rivela il suo carattere imitativo.* Adesso non era più sicuro che Heidi avesse detto qualcosa ad alta voce. Comunque si era già allontanato di vari metri dal negozio. Ma quel tanto di paura si era raffreddato. Quel tanto di paura se ne era andato.

9

Decise, il giorno seguente, di rinunciare alla sua trapunta pomeridiana, e si avviò invece verso il «Morgontörn»; erano mesi e mesi che non vedeva quel posto alla luce del giorno. Era attività, era il mondo, era movimento, stavano mandando in macchina il giornale. Era così che andava avanti, telefoni e urla e macchine per scrivere, finché le segretarie non se ne tornavano a casa, un fattorino che schizzava via con una lunga tagliatella di bozze, il balbettio secco di una qualche macchina per scrivere che veniva da uno dei cubicoli; Nilsson che urlava: mancava qualcosa, qualcosa era in ritardo. C'era una energia comune, le vocali intermittenti degli assiti dei pavimenti non erano affatto spettrali, e tutti i rumori impastati insieme avevano lo slancio unitario di un organismo autosufficiente; lo sapeva Iddio quale nome potesse avere un animale così risoluto. Comunque, niente di sinistro, magari un cagnone rumoroso. Lars non notò alcun topo: di sicuro erano consegnati in caserma.

«Lars! Che ci fai qui?». Nilsson gli dette una pacca autoritaria e corse via nella confusione. Era una cosa stupefacente, la redazione culturale alla luce del giorno, come il sole, lunare, esangue, invernale, granuloso e instabile, più grigio che pallido, ritagliava toppe dappertutto. La stranezza di quelle sacche di sole, le finestre! Una incerta lampadina elettrica e i soliti stridii e raschii contro il pozzo tenevano l'ascensore nella sua frusta oscurità, ma altrimenti le seggiole e le scrivanie e i classificatori avevano un che di vivo. In un angolo la banda dei pettegoli delle tre era in piena sessione, Gunnar e Anders in mezzo agli altri. Lars ne fu sorpreso, ma poi, ripensandoci, non lo fu più di tanto: creature della notte, un po' come lo era lui, facevano i gargarismi su cos'era e cosa non era, sul chi, dove e perché: voleva dire che ogni tanto avevano bisogno di tornare al pozzo ad abbeverarsi.

Respirava attraverso un velo — una sorta di stordimento o di stato ipnotico. Era l'abitudine della trapunta: a quest'ora, di solito era a riposare. Il bordo degli occhi gli prudeva, gli dava noia: una coppia di vecchi cerchioni con cui, sobbalzando, era passato sopra troppe cunette. Era abbastanza sveglio, ma con i nervi a fior di pelle; un ronzio; un senso di avventatezza. In qualche modo si sentiva maltrattato, non gli importava niente di ciò che qualcuno potesse dire. Si avvicinò, incuneandosi; nessuno lo notò, nessuno spostò una spalla per farlo passare. Stavano raccontando una storia di traduzioni: come Sven Strömberg, in un momento di disattenzione mentre lavorava sodo per l'avvicinarsi della scadenza di consegna di una traduzione d'un romanzo australiano, nel trovarsi davanti la parola «noto», senza rendersene conto l'aveva cambiata in «nodo», finendo così con l'annodare la sua fedele eroina. «Non puoi farne una colpa a Sven, potrebbe succedere a chiunque. Tutti quei giochi di parole, tutti quegli omonimi». «Omero che schiaccia un pisolino». «Freud. Una sostituzione che nasce dalla psiche». «Vi dimenticate che Sven non ce l'ha, la psiche». «E allora che cosa ci tiene, in quel buzzo?». «Del formaggio. Gli si sente dal fiato». «Non è formaggio, quello che ha nel fiato». «Be', almeno gli strafalcioni sono suoi, non c'è niente di arraffato».

Risate. «C'è qualcuno che ha visto Flodcrantz?». «Ho sentito dire che è scappato a nascondersi in Finlandia». «Ha la tremarella. Perfino gli orecchi. Le nocche. Mio Dio, l'ultima volta che l'ho visto sembrava di gelatina». «Colpa sua. È andato a cercarsela». «Dicono che è affetto da mania suicida». «Quell'Olof? Ma se s'imbottisce di vitamine!». «Be', voleva far parlare di sé. Sempre meglio che venir sepolti tutte le settimane sulla pagina culturale». «Si è reso famoso. Se la sta godendo un mondo». «Gli tremano le mani, il mento». «È tutta una posa. È un attore. Il più grande dei seguaci di Tespi». «Vi prego, sta male. È malato. Non è normale».

E così via. Era lo scandalo del mese. Un recensore di uno dei giornali della sera, un giovane poeta ammirato (alcuni dicevano, pericolosamente invidiato) che aveva appena dato alle stampe la sua seconda raccolta di versi, era stato smascherato — da Sven Strömberg, oltre tutto! — come plagiario. Ogni poesia del nuovo volume di Olof Flodcrantz era la traduzione — rubata — di una composizione di un diverso poeta americano. Flodcrantz aveva avuto l'impudenza di includere, fra gli sconosciuti più sicuri, anche alcune stanze di Robert Frost che lo stesso Sven Strömberg aveva tradotto una dozzina d'anni prima per un'antologia finita ai remainders un mese e mezzo dopo la pubblicazione: *Bardi del nuovo mondo*. Il particolare più divertente di tutta la storia era lo sventurato punto culminante: come Sven Strömberg avesse scoperto il misfatto contro ogni probabilità, dato che era famoso per non leggere mai nulla che non fosse pagato per leggere. D'altro canto era famoso anche per come si beava fin della più impudente e mielosa delle adulazioni; così che quando Olof Flodcrantz gli inviò — proprio a lui! — una copia del volume incriminato con tanto di eloquente dedica, e Strömberg vide la dedica che lo chiamava il primo uomo di lettere del paese, fu abbastanza naturale che, da quella persona cortese che era, contraccambiasse il complimento dando la sua autorevole approvazione alle ultime elucubrazioni di Flodcrantz. «Genuine e originali», scrisse a Olof; «genuine e originali», diceva a chiunque incontrasse. La ratifica della pura originalità di Olof da parte di Sven era già stata fatta abbondantemente girare nel tegame dello stufato, quando, sfogliando quelle pagine per contemplare una volta di più la gradevole dedica di Olof, Strömberg per caso s'imbatté nei versi familiari di Robert Frost. Nella traduzione sua. Pirateggiata; usurpata.

Lo shock più dilettevole della stagione, per il momento. I pettegoli delle tre — ormai erano quasi le cinque — lo giravano e rigiravano, analizzando motivi e conseguenze. Chi aveva imbrogliato chi? Quel pazzo di Olof! Andare a mettere la testa nella bocca del leone, e per di più dopo aver prima svegliato il leone. Eppure il povero leone non era proprio nella posizione migliore per addentare. Era stato un caso di rabbia, di cattiveria, di vendetta, di disperazione? Oppure — «Al contrario», disse Gunnar — una monellata, una affettazione, una burla dadaista? Una congiura postmoderna. Sven, che di nascosto tirava le fila di tutto quanto: era stato Sven che, furbacchione, aveva tirato fuori per Olof tutti quegli americani di nome Robert. Creeley, e Mezey, e Bly! Lowell, Penn Warren, Graves. Anders non voleva aver niente a che fare con questa teoria dell'andare a guardare sotto i letti alla ricerca del colpevole. Un solenne incidente di patriottismo riformista, qualunque fosse stata l'intenzione. Proprio quello di cui abbiamo bisogno, qualcosa che ci mette in piazza per quello che siamo, che ci fa sfregare il naso nella polvere della casa di bambola. Estrema parodia ironica del provincialismo svedese. Smascheratura, una volta per tutte, della piccolezza delle lettere in quella decrepita vecchia Stoccolma.

«Coccodrilli! Guadagnatevi il pane!», urlò Nilsson, passando di corsa. Le segretarie se ne stavano andando a casa. Nelle finestre, il sole lunare era svanito. Il tegame dello stufato era al momento del massimo bollore.

«Be', c'è qualcos'altro», disse Lars. Nessuno udì. Erano passati al destino di Olof Flodcrantz al suo giornale, se l'avrebbero licenziato oppure tenuto come eroe culturale. Qualunque cosa si pensasse di lui, aveva un bel coraggio, bisognava ammettere che aveva della verve: tutti quei Robert! Per non parlare dell'annebbiamento dei confini, delle linee di proprietà. Cosmopolitismo contro l'orticello dietro casa. Socialismo delle idee: l'importante è il testo, lasciamo perdere chi l'ha scritto. Shakespeare sotto qualsiasi altro nome. Un moralista ottuso potrebbe parlare di furto, ma a cos'altro tende l'intero pianeta se non all'universale? Una bellezza non preclusa ai più, che viene passata di mano in mano fra tutti i popoli. Lo sciocco, in questo caso, era Sven Strömberg, che aveva smascherato l'impostore al prezzo della propria dignità. Quanto ridicolo il salto dal «genuino e originale» a quel grido di «Al ladro!», tutto sta a vedere a chi appartiene il bue che è stato sgozzato: eccovi serviti.

Nonostante ciò, a nessuno di loro avrebbe fatto né caldo né freddo se Olof Flodcrantz fosse stato licenziato.

Così il tegame dello stufato nel prematuro buio invernale. Fumo di sigaretta come nidi strappati penzolanti. In tutto il mondo il grande mestolo rimestava, rimestava. I poeti, i sognatori, i pensatori, i mercenari. Gli ambiziosi e i meditatori. Gli opportunisti e i provocatori. I cabalisti e i seduttori. Questo tegame — queste calde maree — Lars, sotto la sua trapunta, a una distanza di pochi minuti a piedi, settimana per settimana l'aveva escluso: al fine di intravedere l'occhio di suo padre. Anche suo padre aveva snobbato il tegame dello stufato. Drohobycz invece di Varsavia, Drohobycz invece di Parigi, Drohobycz invece di qualsiasi altro posto.

«Signori si chiude!», strillò Nilsson, passando al volo; aveva addosso il cappotto e la sciarpa. Il gruppetto stretto si allentò, e dal suo centro serenamente uscì, o venne espulsa con cortesia, l'unica letterata del «Morgontörn», con la sua camicia e cravatta da uomo, salutando Lars con due dita levate, una delle quali aveva, annerito, un callo dello scrittore. Si diceva che da vent'anni fosse l'amante di Sven Strömberg; non aveva detto una sillaba in sua difesa — la sua voce, comunque, aveva il fragile carattere elettronico di un'interprete ufficiale — ma la sua bocca piccola e scaltra era ricca di una sorta di dolcezza che aveva un che di umidiccio. C'era un che di dolciastro in tutti quanti, del resto, l'intera squadra delle tre: il miele diluito della riverenza. Creature letterarie che servivano, schivavano, e talvolta vendevano le Muse. I loro cosiddetti scandali, il loro darsi da fare, le loro faide, la loro vita polimorfa nel tegame dello stufato: quanto innocui, quanto lontani dalle dimore del tuono vivo, quanto deboli davanti all'altare dell'occhio immobile del padre di Lars. Adesso stavano infilandosi i loro giacconi imbottiti, i loro berretti di pelliccia, i loro stivali foderati; sembrò a Lars che lo stessero snobbando, oppure che fossero immemori, ecco Gunnar che passava di corsa, e quindi Anders, tutti ad affrettarsi verso mogli, patrigni, zie, vecchie famiglie lamentose. Il tegame dello stufato cominciava ad assumere il suo malfermo aspetto notturno.

«Aspettate», gridò di nuovo Lars, «c'è dell'altro».

Gli passavano accanto in fretta, alcuni verso l'imbottigliamento davanti all'ascensore, la maggior parte giù per le borbottanti scale di legno. Il povero vecchio «Morgontörn», che rovinava all'indietro, verso il secolo scorso, verso la notte, verso lo sfacelo. Già i topi stavano preparandosi a emergere; si sentivano esercitarsi in falangi dietro le pareti.

Lars corse alla cima delle scale e gridò giù: «Qualcos'altro! Una notizia!».

L'amante di Sven Strömberg, agganciandosi il giaccone alla marinara su camicia e cravatta, si soffermò sul pianerottolo.

Lars gridò: «È venuto fuori *Il Messia*! Qui! A Stoccolma!».

Fracasso giù per i gradini; chiacchiere, rimbombi. «È Lars Andemening», spiegò l'amante di Sven Strömberg verso il pianerottolo di sotto. «Credo che stia annunciando la Seconda Venuta».

«Non ditemi che Olof Flodcrantz è tornato dalla Finlandia!», gridò qualcuno dal basso. «Così presto?».

Risate su e giù per le scale.

«Sua figlia ha il manoscritto. È stato ritrovato», gridò Lars.

«Quale manoscritto?».

Lars si sporse sulla ringhiera. Nella penombra di tutte quelle rampe di scale mille facce guizzanti si levavano verso di lui. «*Il Messia*», gridò. «*Il Messia* perduto di Bruno Schulz».

«Chiacchiere degne di Stoccolma. La concimaia del mondo».

«Quel polacco? Mica ha mai avuto una figlia».

«Se non ne hai mai sentito parlare, è roba per Lars».

«O se è morto».

«No, no, morti sono tutti: Tolstoj, Ibsen; anche Strindberg. A Lars arriva solo se è to-tal-mente sconosciuto».

«Se non è mai esistito».

«Lars!». Questo era Anders, giù a metà scala. «Abbiamo scoperto i tuoi altarini. Tutto quel risuscitare che fai. Tutti quegli sconosciuti, quegli esoterici che si levan dalla tomba...».

L'amante di Sven Strömberg disse, concisa: «Lars Andemening, il Messia di Stoccolma».

«Coccodrilli!», urlò da basso Nilsson. «Sempre a caccia di notizie sensazionali».

In fondo alle scale Lars trovò Nilsson che lo aspettava. «La telefonista mi ha dato questo un momento prima di staccare, l'ho incontrata che usciva dalla toilette. Perché non ti metti il telefono in casa, Lars? Il personale qui non è il tuo maggiordomo. Io mica sono il tuo valletto».

Lars lesse: TELEFONATO SIGNORA EKLUND. IL DR. EKLUND TORNATO. PER PIACERE LA CHIAVE.

Insistette: «Ma ti rendi conto che cosa significa se *Il Messia* è stato ritrovato?».

«Un libro in più in giro per il mondo», disse Nilsson, «che non sia *Pippi Calzelunghe*. La gente si lamenta, Lars, le tue recensioni in pratica sono della teologia. Un po' meno morbosità per il lunedì, eh? che ne dici? Un po' di sordina sul surreale — andiamoci piano con la paura esistenziale, che ne dici? Provaci».

Lars era entrato nel tegame dello stufato, ed era stato vomitato.

10

La mattina dopo, la neve nelle strade era brunastra e segnata dalle ruote. Sul bordo dei marciapiedi ce n'erano mucchi alti fino alla vita. Si camminava liberi e spediti. Lars arrivò al negozio di Heidi così alla svelta che non ebbe neanche il tempo di accorgersi del proprio stato d'animo. Se ne accorse soltanto quando si guardò intorno in cerca di Heidi e vide invece il ragazzo turco che si portava il piumino alla spalla, come una sentinella col fucile. La signora Eklund era fuori. «Allora tieni questa, dagliela», disse Lars al ragazzo turco, porgendogli la chiave. Il ragazzo turco esitava; a lui non era permesso di avere una chiave, e se gli veniva concesso di badare al negozio era soltanto perché comunque a quell'ora di veri clienti non ce n'erano. Era chiaro che Lars non era uno di quelli.

Lars tornò lentamente per strada. Che cos'era quella esultanza? Erano quasi le dieci: tentò di immaginare dove potesse essere Heidi. Al suo appartamento, no: non aveva un appartamento. Con il dottor Eklund, no: il dottor Eklund era un fantasma. Ma che cos'era quella esultanza? La follia di ciò che lui aveva fatto! Aveva proclamato il ritorno dell'ultimo libro perduto di suo padre. L'incredulità del tegame dello stufato, la loro indifferenza, che cos'erano, dopo tutto? Neanche lui dava molto credito alla notizia. E la figlia! Non c'era alcuna figlia, e tuttavia lui l'aveva annunciata, al fine di annunciare il risorto *Messia*.

Non aveva dove andare, per cui si avviò verso il suo appartamento. Si domandò se avrebbe dovuto preoccuparsi di quel «Provaci» di Nilsson: era forse un avvertimento?

Che Nilsson, il quale lo aveva assunto e che in un certo senso era il suo protettore, che Nilsson pensasse di sbatterlo fuori? Per i peccati di morbosità, teologia, surrealismo, paura esistenziale? O magari per il peccato ancora più grave di impopolarità? Poteva provare a ravvivare il suo stile: Gunnar, per esempio, condiva i suoi articoli con *al rallentatore*, *vie traverse*, *figuriamoci!*, *battutina*, e perfino *e con ciò?* Anders, memore del formaggio che formaggio non era, chiamava queste espressioni «velvitismi»: una mente davvero cosmopolita, diceva, non si abbasserebbe mai a tali volgarità. Ma Lars ricordava un passo in uno dei racconti di suo padre che aveva a che fare con *un grande teatro illusionista, una magnifica mostra di figure di cera* che una volta era venuta a Drohobycz: *No, non erano autentici Dreyfus, Edison, o Luccheni:*[1] *erano soltanto degli impostori. Avrebbero potuto essere veri pazzi, còlti con le mani nel sacco nell'istante stesso in cui una brillante* idée fixe *era entrata loro in testa.* [...] *Da quell'istante, quell'unica idea era rimasta loro in testa come un punto esclamativo, ed essi vi si aggrappavano, ritti su un piede solo, sospesi a mezz'aria.*[2] Gunnar Hemlig e Anders Fiskyngel, uomini di cera. Il «Morgontörn», un museo delle cere. Anche i topi erano finti, e venivano azionati da motori nascosti nelle pareti.

Quanta tenerezza provava — questa esultanza che si era impossessata di lui! — per le loro facce di cera, i loro occhi di cera con (strano, questo) lacrime di dolore o di rimprovero o di privazione, anch'esse di cera: Gunnar, e Anders, e l'amante di Sven Strömberg con la sua mossa cravatta di cera, e perfino Nilsson, tutti quanti oggetti in cera da esposizione, collegati a fili elettrici tramite bottoni al coccige, o altrimenti controllati a distanza da computer senza fili. La loro terribile impotenza. Un'unica

1 Luigi Luccheni, l'anarchico che nel 1898 uccise a Genevra l'imperatrice d'Austria Elisabetta. (*N.d.t.*)
2 Si tratta di «Primavera», XXXI, in *Il Sanatorio all'insegna della clessidra*. (*N.d.t.*)

idea rimaneva come un punto esclamativo nella cera rosa, dolciastra al gusto, della loro testa: il tegame dello stufato, il tegame dello stufato! Mentre qui, *qui* — Lars era arrivato alla porta del suo appartamento, e stava palpando la chiave — qui nel suo letto sbigottito, sotto la trapunta agitata e aggrovigliata, l'occhio di suo padre, acceso, fermo, immobile, forte e vociferante, un violento raggio bianco, riversava la distesa incolta di Dio. Un vivido bestiario stranamente abbondante, che emanava la bianca luce della pienezza; e loro si voltavano in là, la fuggivano, se non ne ridevano ne erano remoti, il becco untuoso non li aveva mai afferrati, nessuna apparizione, nessuna sfera, nessun uovo, nessun globo, nessun occhio estremo che forzava. Forzò la chiave nella porta: non entrava. Poi capì che era la chiave sbagliata: era la chiave del negozio di Heidi; allora si tastò nervoso in tasca per trovare la propria.

Abitava al pianterreno, appena oltre un minuscolo vestibolo ritagliato da un angolo del muro. C'era una vecchia poltrona di cuoio malandata, con un zampa incrinata, che una volta un dottore, molto tempo prima, aveva messo lì perché ci venissero appoggiati sopra certi grossi pacchi. Nessuno sapeva che cosa ci fosse in quei pacchi, eccetto che voleva dire che il dottore era ricco, la casa aveva visto giorni migliori, consegne magiche: enormi torte con la glassa, cappelli da signora con piume e nastri, uccelli in gabbia. Questa poltrona leggendaria emise il suo caratteristico squittìo, e da dietro l'angolo, spuntando dallo stretto vestibolo, uscì una donna con un berretto bianco.

«La signora Eklund mi ha detto dove lei abita. Se», disse, «lei è la persona giusta».

Aveva con sé il sacchetto bianco di plastica.

«Lars Andemening? Sa fare il polacco? Non ha l'aria svedese».

L'ultima persona a dirglielo — a dirgli che non aveva

l'aria svedese — era stata la sua madre adottiva; a quell'epoca lui aveva sedici anni. Fu ciò che lo fece scappare di casa: ancora non aveva scoperto di chi era figlio.

«Sono un profugo».

Lei non dette segno di sorpresa. «Va be', cominciamo», e passandogli davanti entrò dritta nel suo minuscolo appartamento; ecco il letto, ecco la trapunta raggrinzita e in disordine. Era più di un anno dall'ultima volta che un altro essere umano era entrato lì dentro. Si sentì umiliato, o forse non capiva come si sentiva. Si vergognò, e frenetico si dette da fare per tirar via degli abiti da una seggiola; sgombrò il tavolo con braccio fulmineo. Era allo scoperto, era spaventato; era esultante.

«È stata la signora Eklund a dirle di venire qui?».

«Visto che lei non ha telefono».

«Lei non ha voluto lasciare il suo numero, non ha voluto dire dove abita».

«Devo stare attenta, no?».

«Attenta a che cosa?», domandò lui.

«A quello che ho in custodia». Dette una scrollata al sacchetto. «Sono impulsiva, di natura, devo sorvegliarmi. Ormai sono un paio di settimane che la tengo d'occhio. Mi sono fatta una prospettiva».

Lui stava pensando al suo accento. Aveva l'accento della Principessa? Ma neanche la Principessa era tanto sicura di sé.

«La signora Eklund mi ha detto dove cercare: il lunedì sul "Morgontörn". L'ho messa alla prova: ne sa di cose. Se è in grado di farlo, la prendo».

«Fare che cosa?».

Adesso era seduta sull'orlo del letto. «Voglio un traduttore».

«Io non faccio il traduttore», disse Lars. «Non ho mai fatto roba del genere».

«Voi intellettuali svedesi fate qualsiasi cosa. La signora Eklund dice che Stoccolma è piena di virtuosi nel campo della letteratura: professori di storia che fanno critica, critici che fanno traduzioni, linguisti di ogni sorta...».

«Io non sono niente di tutto ciò».

«La signora Eklund dice di sì».

«Lei non è qualificata per parlare. Non è nessuno. Tiene una libreria, e con ciò? Vuole prendersi gioco di me, tutto qui».

«Perché?».

Lui le fece ballonzolare davanti la chiave di Heidi. «Vendetta. Ho svelato i suoi segreti. So tutto, di lei: non è quello che sembra».

Di nuovo la donna dette una scrollata al suo sacchetto: una strega col sonaglio. «Vendetta e illusione! Lei è proprio la persona che voglio. La signora Eklund dice che lei va pazzo per gli scrittori polacchi».

«Non dovrebbe basarsi su quello che dice lei».

«Tutta la gente importante frequenta il suo negozio. Una delle sue clienti è addirittura una principessa. Ha tutti i professori, l'intellighenzia. L'Accademia fa i suoi ordini tramite lei, lo sapeva?».

«Non corra tanto», disse lui. «L'ha appena conosciuta».

«È vero», assentì lei. «È successo tutto talmente all'improvviso, talmente all'improvviso! Io credo che sia chiaroveggente: vede attraverso i muri. Mi ha letto dentro, non le ci è voluto neanche un minuto, mi ha capita ancora prima che io spiegassi. Ha capito tutto. La maggior parte della gente non capisce. La maggior parte della gente non ne ha neanche mai sentito parlare. Nemmeno i letterati».

Si tolse il berretto, aveva tutta l'intenzione di restare in visita. Era vero, era proprio come Heidi l'aveva descritta: stava diventando grigia, come lui. Tristi strisce di sporco come vecchia neve sciolta. Sembrava avere più o meno l'età di lui, ma quando alzò il mento e Lars colse il piano della sua guancia piatta, per un istante apparve una bambina. Aveva questo in comune con lui: quello sguardo intento d'un tratto reso semplice, come se, rapida, scorresse la bobina di un qualche vecchissimo film. Si esortò a stare in guardia. In mezzo agli occhi — d'un marrone scuro, come i suoi — c'erano due solchi verticali ben marcati. In guardia! Non era sua sorella; non aveva sorelle, lui.

«La maggior parte della gente non ne sa assolutamente niente», disse lei.

Il respiro gli si era intrappolato in gola. «Non è *Il Messia*, vero?».

«Allora gliel'ha detto, eh? la signora Eklund? Glielo ha detto, quello che ho».

«Nessuno le crederà mai».

«Lei mi crederà».

«Ce l'ha lì in quel sacchetto? Non mi dica che ce l'ha lì!». Una sciocchezza: quanto era sciocco. Ma quello strano giubilo si intensificò.

«Sì, sì, proprio qui...» e gli dette una scrollata. Il suono di cinquanta ali.

«Dovrebbe essere in una biblioteca», disse lui. «Dovrebbe essere in una camera blindata. Dovrebbe essere al sicuro da qualche parte».

«È al sicuro con me. È mio. È in mano mia».

«E non ha paura che glielo rubino? Ne ha fatte delle copie?».

«Copie?». Disprezzo: una voce piena di disprezzo. «Se le avessi portato una copia, ci avrebbe creduto?».

«Come faccio a credere a qualcosa?», disse Lars. «Lei non ha nessuna credenziale, salta fuori dal nulla...».

«Oh, credenziali». E di nuovo rimase sconcertato dal suo accento, con quegli strani sibili. «Le dirò come mi chiamo».

«Adela».

«Adela, è sufficiente? Questo è soltanto quello che ha detto la signora Eklund. Il resto non lo vuole? Non vuole dove sono nata, e tutto sui miei genitori, le scuole fatte, tutte quelle cose lì? Le ho fatte, le scuole, può dire quello che vuole, la gente».

«Voglio vedere quello che c'è in quel sacchetto», disse Lars.

«Le si spezzerà il cuore, a vederlo, nelle condizioni in cui è. Alcune di queste pagine le dovetti tirar fuori da un paio di scarpe».

«Scarpe?».

«Be', ce le avevano ficcate dentro, in punta. Dove ci sono le dita, dopo un'acquata. Perché non si sformassero. C'è mai stato a Drohobycz?».

«No», disse Lars.

«A Varsavia?».

«No».

«Io sono nata in Brasile, si rende conto? Questo non gliel'ha detto nessuno. A San Paolo. Mia madre scappò laggiù durante la guerra. E poi lei dice di essere un profugo! Mia madre aveva solo quindici anni, ed era incinta; non era facile trovare un passaggio, ma lei ci riuscì, e senza visto. È un tipo che sa arrangiarsi. Sa fare amicizia, ecco come fa. E poi ci fece l'abitudine, a vivere dappertutto. La gente dice che siamo dei beduini».

«Un paio di scarpe, davvero?», disse Lars.

«Appartenevano a una vecchia di Varsavia. Abbiamo vissuto a San Paolo, a Amsterdam, a Budapest, a Bruxelles. Poi a Varsavia. Il posto dove siamo stati più a lungo è Varsavia. Mia madre è cresciuta in Polonia, la lingua che parla meglio è il polacco. Anch'io, a parte il portoghese. Sei mesi fa andammo a Grenoble, tutti quanti, non mi domandi perché. È fatta così, mia madre...».

«Tutti quanti? Siete una tribù, sua madre e lei?».

Arrossì un po'. «In realtà ha sposato uno, laggiù, uno strano francese, non mi piace; e allora sono venuta qua. È proprio buono il mio svedese, vero? Una buona padronanza delle espressioni idiomatiche — me lo dice un sacco di gente. Non le sembra che sia buono, il mio svedese? Be', non lo è abbastanza. Non per la vendetta e l'illusione! Che Dio ci aiuti, il suo letto è un cataclisma, una valanga».

«La prego, il tavolo, sul tavolo, non qui...».

Ma lei aveva già rovesciato il sacchetto bianco di plastica. Una cascata di fogli si riversò sulle gobbe e i crinali della sua trapunta.

La calligrafia di suo padre. La scrittura — le lettere — che uscivano dalla vera mano di suo padre. Dappertutto parole cancellate. Di ognuna d'esse provò compassione: scartate, cancellate, esiliate. Una bestia — una sorta di scimmione — incominciò a saltare su e giù dentro di lui, da costola a costola: era forse soltanto questa pompa, questa pompa d'un cuore? Uno scimmione interiore che si dibatteva, battendo i pugni, facendo fracasso. Esultanza! E compassione, compassione. Quei vecchi fogli, le povere carte formato protocollo di suo padre, avevano conosciuto l'acqua, lo capì subito: morte pelli raggrinzite, stropicciate, spiegazzate, affogate.

«Si sono bagnati», disse lui.

«Una volta gli si allagò la cantina. La donna delle scarpe, era solo una contadina, il marito faceva la distribuzione del latte...».

«A Varsavia?». Lo scimmione, cieco e frenetico.

«A Drohobycz. Un tale con un lungo pastrano nero dette dei soldi al marito perché facesse una buca in cantina nel mezzo della notte. Sa quelle scatole piatte di metallo in cui una volta vendevano le giarrettiere da uomo? Tanto tempo fa? I fogli erano in una di quelle scatole, una scatola da merciai; e il marito la seppellì sotto il pavimento della cantina. Quel tale col pastrano disse che sarebbe tornato a riprendersela una volta finita la guerra, e che gli avrebbe dato degli altri soldi; ma non si vide più».

Il Messia: quelle sparse pagine malridotte. Fogli e rimasugli, annullati. Spariti. E risorti adesso, sul suo letto! Il letto della rinascita, dove, cento volte prima di allora, il becco untuoso l'aveva afferrato per spingerlo sotto il terribile occhio di suo padre.

«Basta così», disse Lars. «Non è questo il punto».

«Non vuole sentire le credenziali? È stato lei che ha parlato di credenziali. Come sono entrata in possesso del manoscritto».

«Non m'importa il come, ma il perché. Perché dovrebbe averlo lei? Chi è lei, per averlo?»

«Me l'ha dato lui. Il marito».

«Glielo ha dato a Drohobycz?».

Lei allargò le braccia come a comprendere il mondo. «Non il marito di Drohobycz. Il marito di Varsavia».

La luce del nord, passando come un coltello attraverso la sua stretta finestra — perché ce l'aveva, una finestra, una feritoia da arciere — mandò una scimitarra lucente sul suo letto: la luce era troppo fredda, troppo aspra. Un'asprezza invernale scorse come una spruzzata di ghiaccioli sulle vette e le valli della sua trapunta. Le braccia di lei, allargate, creavano una nube sulle parole di suo padre. Le parole di suo padre, sotto l'ombra di lei.

«È lei che non me lo lascia raccontare», obiettò la donna.

E lo raccontò: proseguì il suo racconto, non venne in mente a Lars di crederle o non crederle. Ecco lì *Il Messia*: lì. Era lì. Lui pensava a quello. Il racconto continuava: lui ci credeva, non ci credeva. Come il marito della donna fosse morto di un colpo al cuore, finita la guerra, quando a Drohobycz non c'erano più ebrei. Deportati, defunti. Tutti gli ebrei, tutti i Chassidim con i loro lunghi pastrani neri, gassati, fatti fuori. Come quel tale col lungo pastrano nero non fosse più tornato a riprendersi la scatola. Come la scatola le fosse passata di testa, era solo una povera contadina, che cosa poteva rappresentare, per lei, quella scatola? La testa ce l'aveva a vendere la sua casetta, non più grande di una capanna, con una cantina che era umida e facile da scavare; dopo di che se ne andò a Varsavia in cerca di lavoro. A Varsavia si mise a fare la

94

donna di servizio, che altro poteva fare? La scatola rimase a Drohobycz, sottoterra, non ci pensò neanche più; perché avrebbe dovuto pensarci? Quel tale con il lungo pastrano nero non era più tornato. Furono quelli nuovi, quelli che avevano comprato la casa, be', la cantina aveva il pavimento di terra, cominciarono a farci una colata di cemento, e il piccone tirò su la scatola con tutte le sue carte. Quando la aprirono immaginarono che fosse un testamento, un testamento ebraico, e si misero in viaggio per andare a cercare la donna a Varsavia, supponendo che li avrebbe ricompensati per la restituzione delle carte; quelle carte potevano voler dire qualcosa, potevano voler dire un lascito. Gli ebrei quando erano andati via si erano lasciati dietro i loro valori, lo sapevano tutti, a volte perfino le pentole, pentole col doppio fondo, in cui avevano nascosto il loro oro. Ormai però, a Varsavia, la donna si era risposata, aveva un nuovo marito e si era trasferita in un appartamento nuovo di zecca dall'altra parte della città, nel quartiere ricostruito dove una volta sorgeva il ghetto. Dove il ghetto era crollato. Nuovi appartamenti, belli puliti; un posto che a vederlo nessuno avrebbe mai potuto intuire nulla. Il ghetto era morto e sepolto. Davvero un bel quartiere nuovo.

«Tutto questo chi glielo ha detto, la donna?».

«Il marito. Quando arrivai io era passato molto tempo, la donna era morta, non c'era più. Fu per quello che arrivai io — perché era morta nella cucina di Tosiek Glowko; nella cucina di sua moglie. Tosiek Glowko era l'amico del cuore di mia madre per tutto il periodo che abitammo a Varsavia. Tutti gli amici del cuore di mia madre sono più giovani di lei — non ci può far nulla, lei è fatta così, è sempre stata così, tranne quando era giovane anche lei. La donna morì di un colpo esattamente come il primo marito, quello di Drohobycz. Stava pulendo una parete».

Lars stava zitto: era come se quello scimmione, quell'estraneo, si fosse calmato, e stesse adesso dondolandosi tranquillo dentro il suo petto. Lars si sentiva sollevato. Affondava sotto il flusso del racconto. Credeva a qualcosa, di quel racconto? Gli faceva pensare al reticolato di Heidi, a Heidi con le braccia levate proprio allo stesso modo, che insisteva, insisteva.

«Quella scatola» — le sue braccia passarono sopra la trapunta, sopra i fogli accartocciati — «be', è scomparsa. Perduta. L'ho cercata dappertutto. In tutti gli armadi e armadietti di quell'appartamento. Il marito lasciò che cercassi, non gliene importava nulla. Non vedeva l'ora di levarsi di torno anche il più piccolo foglietino. Fu così che trovai le pagine nelle scarpe — mentre stavo cercando la scatola». E continuò, poi, con la cadenza che la storia aveva, la sua folle consecuzione: come la scatola fosse stata portata a Varsavia da quelli che avevano comprato la casa della donna, come lei si fosse offesa quando le avevano mostrato la scatola: erano soldi, quello che volevano. Perché dovrei pagarvi? disse lei. Per che cosa? Non varrà neanche due zloty.[3] Disse loro che quello che c'era dentro non era un testamento, non era nulla, nessuno poteva capire che cosa fosse. Il marito guardò nella scatola e spostò le carte e annusò l'umidità e disse, No, non è un testamento, non è un lascito, niente del genere. Sono preghiere ebree, quello che pregano gli Zydki,[4] è tutto malocchio e maledizioni. Così andò a finire che quelli che avevano comprato la casa furono contenti di ritornarsene a Drohobycz senza esser stati pagati per la scatola, perché così almeno erano al sicuro dal malocchio; e la donna disse al marito, Ma come fai a sapere che è quello che pregano gli Zydki? Madre di Dio, disse lui, ho provato a leggerlo ma è tutta una gran confusione, è come pregano quelli. E anche le lettere in cima, *Il Messia*, sono gli ebrei che maledicono il Nostro Signore. Lìberatene, disse il marito. Ma è

3 Unità monetaria polacca. (*N.d.t.*)
4 Così, in polacco, sono indicati dispregiativamente gli ebrei. (*N.d.t.*)

carta buona, disse lei, spessa e resistente, qualcosa da farcene lo trovo di sicuro; sicché una volta, dopo aver camminato nella pioggia, ficcò un po' di fogli dentro le scarpe. Perché tenessero la forma. E disse alla sua signora, la signora per cui lavorava, quella sposata a Tosiek Glowko, l'amico del cuore di mia madre, un funzionario del partito, un pezzo grosso, disse alla signora che nella sua vecchia casa di Drohobycz c'era una scatola di preghiere, quelle che dicono gli ebrei, sotterrata sotto il pavimento della cantina, e che quelli che avevano comprato la casa volevano spillarle dei soldi soltanto perché gliela avevano restituita; ma mica era una scema, lei, tanto per cominciare la scatola non era sua, e poi c'erano solo scarabocchi, le preghiere vere, anche quelle che dicono gli ebrei, si trovano nei libri di preghiere. La signora disse, Allora forse davvero non sono preghiere, e la donna disse, Anche mio marito la pensa così, dice che le preghiere degli ebrei sono solo malocchio e maledizioni, e poi c'è scarabocchiato dappertutto il nome di Nostro Signore, per spregio. La signora riferì tutto quanto a suo marito, Tosiek Glowko, l'amico del cuore di mia madre: rideva di quelle carte misteriose che la sua donna di servizio teneva in una buffa scatola tirata fuori da sottoterra. È così che si comportano laggiù in quei paesotti di campagna, gente di fuori via, zoticoni, non sanno come va il mondo; quella povera donna aveva questa scatola per anni nella cantina della sua catapecchia a Drohobycz, fin da quando c'era la guerra; una cosa lasciata dagli ebrei. Tosiek Glowko disse, Drohobycz? Perché sapeva che lì era dove era cresciuta mia madre, mia madre crebbe a Drohobycz e andò a scuola lì. Ma per mia madre non era un buco di provincia, ai suoi occhi era una piccola Vienna. E poi la donna cominciò a pulire le pareti di cucina, e Tosiek Glowko disse a mia madre, Oh la mia povera moglie, la sua donna di servizio le è cascata morta sotto gli occhi, ha avuto un colpo nella cucina della mia povera moglie, abbiamo dovuto chiamare la polizia, e lo sai che quella vecchia è di dove vieni tu, è di Drohobycz?

«Capisce», concluse lei, «è andata così». Allungò le mani sulla trapunta per raccogliere le parole sparpagliate e confuse di suo padre. Lui la osservò ammucchiare i fogli e a forza di colpettini farne una pila rettangolare ben ordinata. Lars fu colpito dalla idiozia di quell'improvviso mettere in ordine: quasi scoppiò a ridere. Era come se l'ordine delle pagine non le importasse minimamente. La progenitrice del caos. Lei lo guardò fisso al di sopra della pila. «Lo capisce, adesso, come è andata? Mia madre venne a sapere del manoscritto...».

«Dal suo amante. Il pezzo grosso del partito».

«... e io saltai sull'autobus, traversai tutta Varsavia, e trovai il vecchio e portai via tutti i fogli che c'erano».

«E lui glielo lasciò fare? Il marito di quella donna? Il vedovo», si corresse.

«Be', era lì che si dava da fare a raccogliere tutto quello su cui poteva mettere le mani, dovunque sua moglie li avesse cacciati. Nel forno, se lo immagina? Tre fogli nel forno. E sei nelle scarpe. Lasciò che guardassi dappertutto. Ormai, però, la scatola era sparita. La scatola non c'era più».

«Ma perché proprio lei?», incalzò Lars. «Perché avrebbe dovuto darli a lei?».

«Li avrebbe dati a chiunque. Li avrebbe bruciati nella spazzatura. Arrivai lì in tempo per salvarli dalla spazzatura. Aveva paura». Lanciò un pallido sorrisino, pericolosamente affilato. «Credeva che lei fosse morta per via della maledizione, capisce? Perché la maledizione era stata dissotterrata. Perché quando lui le aveva detto di disfarsi delle carte, lei non gli aveva ubbidito».

Si rese conto d'un tratto che non credeva una sola parola di tutto ciò. Che invenzione! Le invenzioni più riuscite sono quelle con i dettagli più concreti. Una bugiarda. Oppure una erede furba, una che raccontava vecchie frottole: recipienti sotterrati, formule magiche, incantesimi, improvvise morti stregate. Oppure semplicemente pazza. Adela! Questo nome terrificante preso di peso dallo spettrale scenario di suo padre. *Non capivo se questi disegni mi venissero messi in testa dai racconti di Adela o se li avessi visti io coi miei occhi.*[5] *[...] Forse, in quel nostro tradimento, c'era anche una punta di segreta approvazione nei confronti della vittoriosa Adela, alla quale oscuramente attribuivamo certi poteri e certi compiti per conto di forze di un ordine superiore.*[6] *[...] Adela, calda di sonno e con i capelli in disordine, macinava il caffè in un macinino che stringeva al petto bianco, trasmettendo il proprio calore ai chicchi frantumati.*[7]

Pazza. Una che macinava chicchi frantumati.

Accusò: «Ha scombinato tutte le pagine».

«Non fa nessuna differenza. Può mescolarle come vuole. Raggiunge lo stesso effetto in qualunque modo. Lo vedrà da sé quando comincia».

«Comincia che cosa? Io non comincio un bel nulla». Domandò: «Perché si fa chiamare Adela?».

«È il mio nome».

«È preso da *Le botteghe color cannella*. Da *Il sanatorio*. È per questo che l'ha preso?».

«Io non l'ho preso, la gente mica si dà il nome da sé, no? Fu mio padre a sceglierlo. Disse a mia madre di mettermi nome Adela. Questo prima che io nascessi, quando seppero che lei era incinta. Poi lui venne ucciso nell'atto selvaggio, ne avrà sentito parlare, dell'atto selvaggio. Mia madre scappò in Brasile, anche quella volta se la cavò. Le riuscì, in queste cose è brava. Anche a quell'epoca».

Una scossa elettrica: lo scimmione diede un balzo. «Suo padre...». Lars era in piedi nel suo spazio ristretto, fra il tavolo e il letto. La luce era ancora brillante, un grande

5 Da «Gli scarafaggi», in *Le botteghe color cannella*. (*N.d.t.*)
6 Da «I manichini», in *Le botteghe color cannella*. (*N.d.t.*)
7 È il brano conclusivo di «La notte della Grande Stagione», l'ultimo capitolo di *Le botteghe color cannella*. (*N.d.t.*)

bagliore empio contro il quale la testa di lei appariva scura come inchiostro. Con il brillìo del mattino negli occhi, non riusciva a vedere gli occhi di lei. «È soltanto un racconto», disse. Non disse, Sua madre è una nuvola, suo padre è una nebbia. «Non vada in giro a raccontare una cosa del genere, riuscirà soltanto a tirarsi addosso dei guai. Non è possibile. È un'invenzione. Una menzogna».

«La signora Eklund l'aveva detto, sì, che lei si sarebbe messo in agitazione». Ma s'interruppe, lui capì qual era la sua difficoltà: c'era, la parola, ma lei si rifiutava di dirla. Faceva resistenza. «Ha detto che lei si sarebbe comportato come se, come se...». Tirò su il berretto bianco e si alzò in piedi, avvicinando il viso a quello di lui. «Come se ogni sillaba fosse sua. Ogni sillaba che lui ha messo su carta».

Il respiro della sua voce gli entrava come un vapore su per le narici. Era una voce calda. Quanto libera appariva, quanto simile a una beduina!

«Se quel vecchio a Varsavia lasciò che lei si portasse via il manoscritto, così...».

«Prete», sputò Adela. «Ecco quello che ha detto. Si comporta come un prete!».

«... allora l'altra versione non è così».

«Non c'è nessun'altra versione. È soltanto quello che le ho detto».

«La versione della signora Eklund. Quella che ha avuto da lei, che *Il Messia* aspettava che lei venisse a prenderlo. Era là, a Varsavia. A Drohobycz. Sottoterra. Sotto il braccio di quell'uomo col lungo pastrano. Dio sa dov'era! In giro là — decenni — in attesa che lei saltasse fuori, addirittura dal Brasile, figuriamoci! Veniva tenuto in serbo, questo è il punto. Per la figlia». Voleva essere rauco, voleva dileggiare; invece si trovò impigliato nel semplice nodo di un colpo di tosse. «La figlia! Lo conservavano per lei».

«No, non è così. Non conservavano proprio nulla».

«Nessun altro avrebbe potuto entrarne in possesso. Soltanto la figlia». E concluse: «Questa è la versione della signora Eklund».

«Io non le ho detto niente di simile».

«Non le ha neanche detto di essere la figlia...».

«Questo sì. E lo sono». Gli lanciò uno sguardo di fuoco. «Un prete è proprio quello che ci vuole. Lei si metterebbe in ginocchio, vero? In ginocchio davanti ad ogni parola. Si sentirebbe consacrato».

«Non può esserci una figlia», disse Lars.

«Lei non lo farà, lo vedo. Non lo farà. Sarebbe la persona giusta per farlo, ma non lo farà».

«La signora Eklund la presenterà alla sua principessa polacca: aspetti e vedrà. La principessa traduce mille volte meglio di me. Lo domandi alla signora Eklund». Era perfettamente sereno: era sicuro che lo scimmione, esausto infine, si fosse scioccamente assopito. Disse, «Non c'è alcuna logica in quest'affare della figlia, giusto? Non le riesce di renderlo convincente. Non sarà mai convincente».

Lei lo fissò negli occhi. Due solchi verticali come i suoi. «Era l'insegnante di disegno di mia madre. Nella scuola secondaria a Drohobycz. Lei aveva quindici anni. Gli faceva da modella per i suoi disegni».

I suoi disegni! Un errore, un errore!

Quelle fotografie. Heidi lo aveva messo fuori strada, oppure era stato lui a metter fuori strada Heidi. Si erano messi fuori strada l'un l'altro. Avevano frainteso. Non avevano saputo usare l'immaginazione. Le fotografie li avevano bloccati; li avevano vincolati. Le fotografie avevano afferrato le loro teste come delle tenaglie! Le loro teste, tenute strette una accanto all'altra, a scrutare i visi di quel cerchio di donne. Sempre il cerchio di donne. Lui, l'autore del *Messia*, l'unico maschio; la figura centrale; attorniato da donne. Heidi che esaminava quei visi, vagliava, esplorava: insieme erano sprofondati negli occhi e nelle bocche di quelle donne. Nessuna di loro era l'amante.

Nessuna. Non avevano mai pensato a una ragazzina. Non avevano mai immaginato una studentessa. Una delle sue studentesse!

Adela disse: «Se la portava a casa. Inventava per lei costumi sempre diversi. Le chiedeva di posare, di recitare. Lo vede da sé, se vuole. La può andare a vedere».

«Andarla a vedere?».

«Nelle illustrazioni. In quasi tutte c'è lei. Un omino in cilindro, con un cane gigantesco. Un ragazzo con due grandi bottoni. Un tale con gli stivali da cavallerizzo. Una donna coi tacchi alti e un soprabito con il colletto di pelliccia. Sempre lei. Certe volte è nuda».

Una studentessa. Al liceo. Con addosso l'odore di colla e di vernice della provincia. Quei disegni! Quel piccolo mento triangolare, quegli occhi spiritati, quei torsi stretti che si assottigliavano; piedini e dita dei piedi che finivano in nulla. Una bambina!

«La gravidanza gli faceva spavento», annunciò lei.

«Dove sta andando? Non può...». Se ne accorse, costernato: stava preparandosi a uscire. «Si fermi, che cosa fa? Non mi ha neanche fatto vedere...». Adesso lei stava ricacciando la risma dei fogli — spiegazzati, violentati — nel sacchetto bianco di plastica.

«Lo amava più di quanto lui amasse lei. Lui aveva paura di legarsi con chiunque. Alla fine, però», buttò là Adela, «ci fu l'atto selvaggio, e allora non ebbe più importanza».

Un passo come un balzo. Un altro: era alla porta.

«Non lo porti via. Non mi ha neanche fatto dare un'occhiata, non l'ho neanche visto. Aspetti!», implorò. «Non le ho raccontato la *mia* parte».

«La conosco, la sua parte: non le importa nulla. Se le importasse, lo farebbe, si darebbe da fare per portarlo all'attenzione del mondo».

«No, no, si tratta di altro. La signora Eklund non le ha raccontato...».

«Ho forse contraddetto qualcosa che ha detto lei? E va bene, allora lei mi ha fatto vedere che cosa pensa della signora Eklund: pensa che non ci se ne può fidare».

«Non le ho fatto vedere proprio nulla. Lei non sa nulla».

Con uno strattone, come un ubriaco, le strappò di mano il sacchetto.

«Me lo renda».

«È mio», disse lui.

«Me lo renda».

«Lui è mio padre. Io sono suo figlio!».

Lo scimmione fetale era sveglio, eretto, infuriato; enorme. *Il Messia* era leggero, leggerissimo; non aveva peso. Lars lo strinse a sé, premendolo contro il petto: l'esultare, lo scimmione, il levarsi, lo scagliarsi!

«Me lo renda!».

Gli si avvicinò — era in forma, era agile — torse il sacchetto di plastica, cercò di strapparglielo di mano. Schiacciarono i fogli fra di loro; la lingua di lei scattò, Lars spinse via il buco turbolento di quella bocca, lei sputò. Lui pensò a quei poveri seni schiacciati. Era saldo, adesso, *Il Messia* ce l'aveva fra le braccia, non glielo avrebbe lasciato portar via. Sulla guancia aveva la saliva di lei. Alzò una gamba — la gamba era pesante, aveva un peso — e con un calcio la scaraventò per terra.

Vide la sua testa vicina alla propria scarpa vittoriosa; teneva le mani ai seni. Lui era un colosso che guardava dall'alto.

«Ci sono soltanto io. Non c'è nessun figlio. Lei è un impostore, è un ladro. È capace di dire qualsiasi cosa».

Quanto distante e insignificante, quanto lillipuziana, quella sua rabbia! La sua testa, laggiù, un uccello morto. Poi, in una improvvisa spirale di puro volo, elastica come il levarsi di un uccello, lei con un salto si acquattò sulle anche e volò su a colpire il sacchetto bianco, gli sfuggì alla presa, lei lo aveva in pugno; e fuggì. Fuggì.

Un errore, un errore! Era sparita, se n'era andata. La

porta vibrava sui cardini. Violenza come un incendio; la porta che ancora vibrava. Oppure erano le sue ossa, con il loro lungo tremare. I chicchi frantumati del suo brivido. Come le aveva schiacciato i seni, come aveva spiegazzato il cervello di suo padre. Quel suo cullare *Il Messia*: buon Dio, ma non l'aveva forse tenuto fra le braccia? Per un'ora benedetta, *Il Messia* aveva posseduto la sua casa, il suo letto, la sua trapunta. Avrebbe dovuto mettersi in ginocchio davanti ad esso; lei lo aveva avvertito. Avrebbe potuto inginocchiarsi lì — a fissare — davanti alle grotte e alle caverne della sua trapunta.

E nemmeno una parola còlta. Nemmeno una parola. Nemmeno un'occhiata. Era stato vicino al *Messia* come all'apparizione dell'occhio di suo padre. *Il Messia* fra le sue braccia, e di nuovo perduto!

Di corsa fece il corridoio e uscì fuori, sul marciapiede; lei era sparita. Il lastricato era deserto. Lei non era da nessuna parte, per la strada. In qualunque direzione guardasse — si voltò e tornò a voltarsi di qua e di là, nell'aria fredda — lei era sparita. Aveva girato un angolo; era scomparsa alla vista. Non sapeva nulla di lei: solo che lui ne aveva fatta la sua preda, a causa del *Messia*. A quel punto una fitta di panico non più lunga di un istante sfilacciato lo afferrò: ebbe l'impressione che Adela fosse un angelo turbinante. Il sacchetto bianco le volava accanto, entrava nella nicchia nel muro. Incantato, la osservò mentre lo posava sulla poltrona di cuoio con la gamba incrinata; stava consegnando *Il Messia*. Lo lasciò lì per lui e svanì. Lo sapeva che gli angeli sempre svaniscono.

Quando sporse la testa oltre l'angolo del piccolo vestibolo segreto, la poltrona di cuoio era al suo posto, con niente sopra tranne la polvere di ogni giorno.

11

Era ancora soltanto mezzogiorno. Quella giornata brillante, ormai rovinata, ce l'aveva ancora tutta davanti. Uscì e andò al «Morgontörn», in mezzo alla confusione, dove le segretarie stavano mangiando panini di carne fredda e uova sode. Nella redazione della pagina culturale il tegame dello stufato non si era ancora raccolto. Dalle pile di copie per recensione ammassate contro i battiscopa Lars tirò su un volume di medio spessore. Nella rilegatura era rimasta appiccicata una nitida pallina nera di topo, per cui lui lo rimise giù e ne scelse un altro. Questo risultò molto più spesso. Era l'ultimo romanzo della prolifica Ann-Charlott Almgren, un nome che conosceva (era piuttosto noto) benché non l'avesse mai letta, neppure il suo famoso *Nytt och Gammalt*.[1] Infilò il pollice fra le pagine, verso uno dei capitoli centrali, tanto per dare un'annusatina e farsi un'idea della cosa. Prometteva di sfiorare libidine, inganno, ambizione e morte, e sembrava adatto al suo scopo.

Ce l'aveva, uno scopo. Il cubicolo di Gunnar era vuoto, e così quello di Anders. Optò per quello di Gunnar e cominciò. Il romanzo si intitolava *Illusione*. Gli piacque la trama, che era incentrata sul principio dell'agguato. Una zitella di mezz'età, gentile e modesta — una pittrice autodidatta — si innamora di un buono a niente, un giovanotto furbo e di bell'aspetto. Lei si è sempre rifiutata di far vedere i suoi dipinti, perché li ritiene privi di valore. Il giovanotto è il primo a vederli: prima di allora, lei non ha

1 *Nuovo e vecchio.* (*N.d.t.*)

mai avuto il coraggio di mostrarli a nessuno. Ma il giovanotto capisce subito che lei è un genio nascosto. Accetta di sposarla se lei acconsentirà a un inganno: lui dirà che i dipinti sono suoi, e li darà in pasto al mondo. Il piano riesce perfettamente; il matrimonio è felice. Il sedicente pittore viene adottato dal bel mondo e ricoperto di onori. Ormai, però, sull'onda del fascino e della gloria, il nuovo marito si è legato a una giovane ammaliante, proprio quella critica d'arte le cui profuse lodi hanno messo le ali alla sua reputazione. La moglie di mezz'età, che si tiene sempre in disparte, scoperta la relazione... eccetera eccetera. Il libro era pesante, nelle mani di Lars; lo tirava giù. Era pesante come una perdita. (E *Il Messia*, fra le sue braccia, lieve, oh quanto lieve!)

Un'ora e mezzo per leggerlo. Finito. Un'altra mezz'ora, e la recensione era bell'e fatta. («Composta». Sputata fuori.) Ancora un'ora: a impasticciare e impappinarsi sulla ostile macchina da scrivere di Gunnar. Doloroso, un tuffo in mezzo a degli aghi. Poi furono le tre. Il tegame dello stufato stava cominciando ad arrivare alla spicciolata, con le sue pericolose schegge di risata; ma Lars bussò alla porta dell'ufficio di Nilsson e si offrì di aspettare — se ne rimase lì, muto e paziente — mentre Nilsson scorreva le sue pagine.

«Bene, bene, bene», disse Nilsson. «Ma guarda un po'! Ma pensa! Molto bello. Proprio molto bello, Lars. È qualcosa di nuovo, per te». Poi disse: «Ce la farai. L'ho sempre saputo che ce l'avresti fatta. Ho sempre avuto fiducia in te, Lars. Non che non mi sia sentito parecchio isolato, nell'aver fiducia in te, credimi. Ma non mi sorprenderebbe affatto se tu cominciassi a far concorrenza al venerdì, eh? Che ne dici?». Poi disse: «Continua così, Lars. Dammi due mesi di roba di questo genere, e ti faccio avere un cubicolo tutto per te, che ne dici?». Poi disse: «Basta che tu non abbia ricadute. Niente più Broch, niente più Canetti; un po' di Kundera è più che sufficiente.

Immagino che tu dovessi liberarti dell'Europa centrale, glielo dicevo, io, che alla fine te la saresti tolta di dosso». Poi disse: «Lars, stammi bene a sentire! Ce la farai».

Lars passò furtivo lungo il margine del tegame dello stufato — non fu neanche notato — e si diresse verso casa e verso il letto. «Quei coccodrilli», credette di sentire Nilsson che diceva. Oppure era «Quei cormorani»? Impossibile capire, a tanta distanza: Lars era sotto la sua trapunta. Quella trapunta sopra la quale, lievemente — lievemente, appena sfiorandola! — *Il Messia* era passato. Gli occhi gli lacrimavano, le narici erano in tumulto. Uno spasimo di fatica. Il sonnellino mancato di ieri: migrazioni di un sonno dislocato. Una nube che incantava. Si addormentò, per svegliarsi all'occhio di suo padre.

Quando si svegliò, v'era soltanto assenza. Nulla si formava nell'aria nera: la tenebra vuota non emanava nulla. Il becco untuoso non lo afferrò, l'uovo di alabastro non si materializzò. Lars rovesciò la trapunta e rimase a fissare, come se i suoi globi oculari fossero due mantici gonfiati dal pompare profondo dei suoi polmoni. La testa gli rintronava della insistente, martellante percussione di quel fissare, di quello strabuzzare. Ma la visitazione non ebbe luogo. Non apparve nessuna sfera. L'autore del *Messia* si era ritirato. L'occhio del padre di Lars non tornò.

Erano le sette. Non aveva mangiato in tutto il giorno, quasi che avesse di proposito iniziato un digiuno. In realtà si era soltanto dimenticato della fame: dopo la sconfitta in battaglia, gli uomini non si ricordano del cibo. Si annodò la sciarpa e si calò il berretto sugli orecchi. Sul pavimento vicino al letto, una chiazza bianca. Vi si chinò sopra e, chinandosi, provò una fitta di dolore all'immagine perdurante dei capelli di Adela, arruffati come piume ai suoi piedi. Un uccello morto. L'aveva fatta cadere a calci: la figlia di suo padre. Sua sorella, sua sorella. Vide allora che la chiazza bianca era una pagina del *Messia*, sfuggita durante la colluttazione e rimasta là. La afferrò, con la consapevolezza che la mano destra gli sarebbe scoppiata come una granata al contatto di quel foglio. Era pronto a perdere la destra per il bene di un paragrafo smarritosi del *Messia*.

La chiazza non era quello. La tirò su: il berretto bianco di Adela. Non era quello che voleva, e allora lo buttò sul letto e si addentrò nella notte, in direzione del negozio di Heidi.

12

Il negozio era chiuso e buio. Una nebbia gialla si dif-
fondeva peraltro dal retrobottega: la giunchiglia accesa;
lei c'era. I suoi stivali erano bagnati e tutti impastati di
poltiglia. Un fiammifero era rimasto appiccicato alla suo-
la sinistra. Per forza di abitudine, Lars cominciò a toglier-
seli, poi ci ripensò. Non aveva nessuna intenzione di compiacere Heidi. Tutte le sere, dopo la chiusura, lei ordinava
al ragazzo turco di passare lo spazzolone; il ragazzo turco
non aveva il permesso di andare a casa finché non aveva
lavato via tutta la fanghiglia portata dai clienti durante
la giornata. Lars pestò i piedi nel vestibolo. Immediatamente smise di pestare: non era un visitatore, lui; non era
l'ospite di nessuno. Aveva il diritto di entrare, lui, ce l'aveva lì in tasca. La fredda chiave avuta in prestito. La chiave entrò nella serratura.

«Chi è? Che cos'è?». Una cupa voce grezza. L'odore di
qualcosa fatto arrosto. «È quella donna? Quella donna?».

«Non può essere. Non hanno bussato, le avevo detto
che avrebbe dovuto bussare. La porta è chiusa a chiave».
Questa era Heidi, che parlava ad alta voce da dietro la
siepe di libri. Venne fuori strascicando i piedi; era in pantofole.

«E chi è allora? Come non è quella donna, se deve venire? Siamo chiusi, non lo vedono?».

Lars disse: «Signora Eklund...».

La cupa voce grezza, nervosa, una voce da attore:
«Non è quella donna, è un uomo. Ma non avevi chiuso
per la notte?».

«Non ti preoccupare, è solo Lars. Ha riportato la tua

chiave, così avrai anche quella di riserva. Lars», disse Heidi, «permetta che la presenti. Questo è il dottor Olle Eklund. E questo è Lars Andemening. Visto come ci comportiamo tutti come si deve? Il dottor Eklund ci tiene sempre molto alle forme».

Un omone era seduto al tavolino di Heidi con davanti a sé una tazza di tè quasi vuota, e fumava la pipa. Sembrava un enorme cavallo allarmato, tutto strigliato, con delle lunghe frogie scavate in una stretta massa di cartilagine, una faccia lunga, e una lunga testa tumescente, calva e luccicante. I suoi occhiali riflettevano la luce. Il cocuzzolo della testa sembrava tirato a lucido. Era vestito a puntino, con una giacchetta e un gilè dai bottoni d'argento scintillanti. Portava un anello d'argento a entrambi i diti medi, e c'era qualcosa in quei bottoni e quegli anelli, e anche nel modo in cui allungò i suoi ditoni verso Lars, che faceva pensare a un capitano di marina. Oppure era quel suo odore salmastro da tritone, mescolato al carnoso odore bruciacchiato del tabacco, forte e salino. Il mento, ben rasato e senza alcun segno di peli, aveva una lucentezza tutta propria.

Lars prese la mano dell'uomo — come era calda — e la strinse. «Davvero il dottor Eklund?», disse.

«Il dottor Eklund è tornato stamattina presto», disse Heidi. «Una tale fatica, una giornata così spossante, dopo il viaggio...».

Lars esaminò quell'uomo. Lo guardò sollevare la tazza e rimetterla giù. Lo guardò accendere un fiammifero e succhiare la pipa. «Anch'io era venuto qui, stamattina», disse.

«Me l'ha detto, il mio ragazzino turco, che era venuto, lei non gli è simpatico, chissà perché. Ero all'appartamento, a riempire il frigorifero. È diverso, quando in casa siamo in due». Heidi tirò fuori dall'ombra una seggiola, facendola raschiare. «Si segga, bruto che non è altro, e ci racconti. Sicché l'ha scaraventata per terra, eh? Non l'avevo notato, questo lato del suo carattere, quella povera Adela! È corsa qua piangendo a lamentarsi che l'avevo mandata da un pazzo criminale».

Lars disse: «È davvero il dottor Eklund?».

Il dottor Eklund porse la tazza. «Un altro po'».

Heidi si affrettò al bollitore. «Viene stasera. Per un consulto col dottor Eklund. Se non fosse il dottor Eklund» — Lars intuì che stava per dire qualcosa di stravagante — «non potrebbe venire a consulto da lui, *nicht wahr?*».[1]

«Ma se non ha nemmeno un graffio! Ha forse qualche graffio?».

«Per l'amor del cielo, questa non è mica una clinica, che cosa crede che siamo? Viene per quello che c'è dentro quel sacchetto. Le ho assicurato che stavolta nessuno la sbatterà per terra. Non credo proprio, Lars, che sarebbe contenta di vederla. Sarà meglio che se ne vada prima che lei arrivi».

«Non capisco come ha fatto a entrare», disse il dottor Eklund.

«Con la tua chiave. Gli avevo dato la tua chiave».

«Se sbatte la gente per terra, non dovevi dargli la mia chiave».

«E io che pensavo», disse Lars, lentamente, «che non ci fosse nessun dottor Eklund».

«Lars crede nei fantasmi», spiegò Heidi.

«È stata proprio lei a farmi pensare che fosse un'invenzione».

«*Cogito, ergo sum*», disse il dottor Eklund. «E perché mai avrebbe dovuto pensare una cosa del genere?».

«Non è detto che tutti debbano esistere».

«Questa sì che è una cosa davvero plausibile».

«Quello che intende dire è che lui è un orfano», disse Heidi. «Era uno di quei profughi orfani. Non sa chi fosse sua madre».

---

1 In tedesco nel testo: «non è vero?». (*N.d.t.*)

«Non so neanche chi fosse mio padre», disse Lars.

«Questa è nuova!», esclamò Heidi. «Suo padre è l'autore di *Le botteghe color cannella*. Suo padre è l'autore di *Sanatorio*. Suo padre è l'autore del *Messia*. Ecco chi è suo padre». Emise quella sua rapida risata canina.

«Non ho padre, io».

«Ha perso suo padre? Ma il suo occhio no», lo schernì lei. «L'occhio se lo sarà tenuto, no?».

«È scomparso. Non c'è più».

Il dottor Eklund domandò: «Occhio? Occhio? Dove sarebbe, quest'occhio?».

«Un ragazzo intelligente, ma soffre di allucinazioni», declamò Heidi, intendeva forse umiliarlo? Un'ondata di rammarico. Le aveva affidato la sua arcana pagliuzza: la sua visitazione, la sua apparizione. Non c'era alcun occhio. Lo aveva abbandonato. Non sarebbe più tornato.

«Ma quale ragazzo? Se si facesse crescere la barba, sarebbe un matusa», disse il dottor Eklund masticando la pipa.

Lars, nella sua vergogna, ebbe la sensazione di imbattersi in una certa familiarità di inflessione, di accento. Un qualche sibilo. C'era qualcosa di troppo consueto, qui; non riusciva a valutarlo. Un che di strano, nella voce del dottor Eklund. Strano perché non strano abbastanza.

«Una piccola somiglianza, tuttavia», continuò il dottor Eklund. «Una piccolissima somiglianza. Il mento, forse. Non più di un accenno, giusto? L'estate del 1938 — non mi sbaglio, su questo — lo vidi che beveva del tè — del tè bollente — in un caffè in un cortiletto che dava sulla strada. A Parigi, era. Me lo indicarono. Poi lo riconobbi da me, senza ombra di dubbio».

«Il dottor Eklund parla il polacco correntemente», completò Heidi.

«Si parlava moltissimo in polacco, a quel tavolo. Un gruppetto di tre o quattro persone. Avevano fatto il giro delle gallerie, parlavano d'arte. Mi ricordo che giornata torrida era, eppure quello beveva del tè caldo fumante. Come fosse stato questo, in questa tazza. Ancora più caldo, probabilmente. In certi momenti un paio si rimettevano a parlare in francese, ma per lo più era polacco. Benché quello non aprisse bocca. Aveva l'aria di un contadino, portava dei pantaloni coi risvolti troppo alti: si vedevano tre centimetri di calzini più del dovuto; pensi un po', si parla di un paio d'anni dopo *Le botteghe color cannella*. Un colpo di fortuna».

Sembrava una gran confusione, chi era, esattamente, che il dottor Eklund diceva di aver visto a Parigi? Poi Lars capì che cos'era che udiva nella gola del dottor Eklund. Dapprima aveva pensato che potesse essere la pipa che attutiva; ma non era la pipa. Le vocali del dottor Eklund — era mai possibile? — non erano dissimili da quelle di Adela. Il dottor Eklund — era mai possibile? — non era affatto svedese.

«Non me l'ha mai detto», accusò Lars. «Del polacco».

«Il dottor Eklund preferisce non lo si sappia. Lui fa uscire le persone, capisce? Fa il possibile. Ha sempre fatto il possibile. Ha fatto uscire la signora Rozanowska, per esempio».

«Ha fatto uscire la Principessa?».

«Questo è successo molto tempo fa, gliel'ho raccontata, la storia. Insieme al marito. È stato il dottor Eklund a farli uscire, e poi a farli entrare qui. Per quel che ne può sapere lei», disse, maligna, «ha fatto uscire anche lei. Con tutte le sue fasce! Lui li conosce tutti, i trucchi, vero Olle?».

Il dottor Eklund, discreto, sorseggiò il suo tè. «Non mi piace quando dài tanta confidenza».

«La tua chiave l'hai riavuta».

«Qualche volta ci si rimette, a dar tanta confidenza».

Come erano teatrali, il dottor Eklund e signora! Due vecchi istrioni che facevano le prove. Lars inclinò la sua seggiola verso il dottor Eklund e immerse il capo nella nu-

113

vola di arrosto che emanava dalla pipa del dottore. «Chi è che vide a Parigi?», disse.

«Quel tale. Quel suo scrittore».

«A Parigi? Lo vide a Parigi?».

«Solo per pochi istanti. Un colpo di fortuna».

«Ma lo vide! Lo vide in viso?».

«Aveva il mento a punta. Questo lo ricordo».

«E che altro? Che aspetto aveva?».

«L'aspetto di uno che beve tè bollente di luglio».

Lars si volse verso Heidi: «Suo marito l'ha visto! E lei non ne ha mai parlato, non ha mai detto...».

«Anche per me, questa è la prima volta che ne sento parlare».

«Col cavolo che è la prima volta. E come se non bastasse, il polacco! Avere un marito che *parla il polacco correntemente*», echeggiò, «e non farne mai parola...».

«Be', avrebbe dovuto capirlo da sé».

«Capirlo da me!». Quanto era irragionevole, quanto era assurda, quanto era melodrammatica. «E allora perché non mandare Adela da suo marito, se quello che vuole è una traduzione? Mica sono io, quello che va cercando!».

«Il dottor Eklund preferisce non fare traduzioni. Il dottor Eklund è costretto a andare avanti e indietro. Segue certe faccende. Fa uscire delle cose».

«Tradurre non è una cosa che mi interessi», confermò il dottor Eklund. «Specialmente se si tratta di manoscritti dubbi».

«Che bambino che è, Lars. Ingenuo. Non è solo ai fantasmi che crede lei. Si tratta di lavoro da detective, non lo capisce questo? Agenti. Contatti. Combinazioni. Se no come sarei riuscita a procurarmi quegli articoli da Varsavia? Chi sono io, per riuscire a avere cose del genere? Una piccola libraia, con un negozio che è un buco nel muro...».

«Non mi piace», ripeté il dottor Eklund, «quando dài tanta confidenza».

Heidi proseguì decisa: «Lei crede che una lettera datata

114

1934 cresca sugli alberi? Crede che delle pagine di un diario su una conversazione a una cena a Varsavia nel 1936 si possano raccattare per la strada? Così? Lars, la prego, mi permetta una domanda: lasciato a se stesso, che cosa sarebbe riuscito a trovare? Lasciato a se stesso, questo è il punto! Glielo dico io che cosa: sarebbe riuscito a trovare l'unico pezzo di carta che ha trovato! Una recensione americana tirata fuori dal secchio della spazzatura del "Morgontörn", ecco cosa». Le sopracciglia nere erano irrequiete come la criniera di cavalli da corsa. «No, no, non è così semplice. A voi sognatori piacerebbe che fosse semplice, vi piacerebbe che tutto funzionasse in base alla passione per la letteratura. Secondo lei, è così che Varsavia lascia uscire le sue cose di valore, eh? O magari si tratta soltanto di fare una bella telefonata interurbana a un commerciante di Drohobycz, ma non mi faccia ridere! Lei è un bambino, lei non sa come va il mondo. Lei crede che il mondo sia fatto di letteratura. Crede che la realtà sia un pezzo di carta».

Che cosa gli stava dicendo? Era qualcosa che aveva a che vedere col dottor Eklund. In qualche modo aveva a che fare col dottor Eklund, e quello, comunque, non poteva essere il suo nome vero. Il dottor Eklund non era svedese. Che non fosse neanche un dottore? Che davvero fosse, con quel suo che di pungente e di salmastro, un capitano di marina? Faceva uscire cose, persone e cose. Faceva entrare cose, persone e cose. Uno che appianava gli ostacoli. Quando il dottor Eklund si diceva fosse a Copenhagen, o a fare i suoi giri all'ospedale, o a dormire nel suo appartamento, significava forse che in realtà era a Budapest? Aveva davvero, quattro anni dopo la pubblicazione di *Le botteghe color cannella*, in una Parigi estiva che già stava avviandosi, cupa, verso la guerra, aveva davvero visto il padre di Lars?

Lars non aveva padre. Mai più avrebbe avuto un padre. Rinunciava a suo padre, alle probabilità, se non ai fatti. Fatti, non ve n'erano. Al di là della fucilazione, non c'era niente. Soltanto la turbolenza del desiderio, l'impietosa pustola di un chimerico occhio redentore. L'occhio della liberazione. L'occhio della redenzione. Era scoppiato sopra la piccola caverna della trapunta di Lars come la ruota di un sole. Un cerchio di fuoco. Un uovo mugghiante. Una intelligenza. Una certezza divorante. Sparita; cancellata; annientata. Heidi non sembrava affatto scossa da questi vuoti vorticosi: non la toccava, il fatto che Lars avesse rinunciato ad ogni rivendicazione sull'autore del *Messia*, che fosse adesso pronto a ritirarsi nel nulla, che fosse figlio di nessuno, che non avesse padre; che fosse stato distrutto. Non la toccava, né in un modo né nell'altro. Non aveva mai creduto alla sua tesi; non le importava nulla che egli distruggesse la propria tesi lì, su due piedi. E neppure sembrava farle piacere.

«Smetto, signora Eklund», disse lui. «È finita. Pianto tutto».

«Finito che cosa? Che cos'è che pianta?».

«Gliel'ho detto. Non ho padre».

«Perché, quando mai ha avuto un padre? Non ho mai pensato che ne avesse uno».

«Adamo, il padre di tutti noi», disse il dottor Eklund.

«Niente più articoli da Varsavia. Niente lettere, niente diari, niente fotografie, niente disegni, niente detti memorabili, niente citazioni, non le darò più fastidio», disse Lars.

«Nessun fastidio», disse il dottor Eklund. «Se mai, questione di lavoro».

«Il dottor Eklund si preoccupa sempre molto di qualsiasi cosa abbia a che vedere col negozio», disse Heidi.

«Mio padre non ha niente a che vedere col negozio».

«Il suo ex padre. Non dovrebbe chiamarlo ex padre?».

«Mi creda sulla parola. Ho chiuso».

«Chiuso veramente?».

«Finito».

116

«Oh. Noi però non smettiamo», replicò lei.

Noi? Noi chi? Questo, rifletté Lars, era un nuovo «noi». Adesso comprendeva il dottor Eklund.

«Il dottor Eklund», fece notare lei, «ha avuto un certo interesse a raccogliere questo materiale».

«Queste prove», suggerì il dottor Eklund.

«Queste prove. E perciò ha consentito a incontrare Adela. È stanco morto, lo vede da sé quanto è stanco il poveruomo. Eppure ha acconsentito a vederla, e sa perché?».

«Perché?», domandò il dottor Eklund. Uno scherzo, o le stava facendo fretta?

«Perché condivide i suoi sentimenti. Lui sa quanto tutto questo l'abbia logorata, Lars, e la capisce».

«Comprende. Penetra», suggerì il dottor Eklund. «Il fascino — la seduzione, il magnetismo — di un testo sublime. Sono sentimenti che io stesso mi riconosco».

«Il dottor Eklund è per così dire il suo gemello psicologico».

«Be', ora non esagerare», disse il dottor Eklund. «Non mi sognerei mai di mettermi nella stessa categoria di questo signore. Come lui, non c'è nessun altro. Certamente non a Stoccolma, proprio no».

«La mia categoria? E che categoria sarebbe?».

«L'utilità», disse Heidi, passandoci sopra il suo breve latrato scherzoso.

Un'unica, furiosa scampanata come di chiesa. Se non una campana di chiesa, allora una specie di gong.

«Buon Dio, che cos'è?», proruppe Heidi. «Le ho detto di bussare, semplicemente, ha mica rotto il vetro? L'ha rotto!».

Il dottor Eklund balzò in piedi — non era affatto stanco; era robusto, era acrobatico, più che mai un capitano di marina — e traversato di corsa il negozio andò alla porta, guizzando fra una sezione e l'altra delle scaffalature come un enorme ratto in un cunicolo.

Heidi alzò la mano e accese le luci; improvvisamente il negozio sembrò aperto al pubblico.

«Mi ha quasi rotto il vetro!».

«Be', però non l'ho rotto». Adela strusciò il piede nelle strisciate rimaste sul pavimento del vestibolo. «Con quest'affare, son scivolata sulla neve. In pieno contro la porta. Ha ricominciato a venir giù».

«Guarda che scarpe», disse Heidi. «Mi sgocciolerà su tutto il pavimento. E il ragazzo ha dato lo spazzolone appena un'ora fa».

Adela era a testa scoperta; Lars sapeva perché. Aveva i capelli spruzzati di perle di neve. Non portava il sacchetto bianco di plastica: con le braccia, stringeva la pancia di una brocca rotonda di ottone, una sorta di anfora. Era o un vaso da fiori molto grosso o una modestissima ombrelliera; l'apertura della bocca era riparata da una cuffia di plastica da doccia.

«Niente cappello? Con la neve bisogna portare il cappello», rimproverò il dottor Eklund. Questa, notò Lars, era una versione della stravaganza di Heidi; faceva parte della sua teatralità. Che gli importava se quella donna, che si teneva stretta quel barile o quell'urna o quel che era, portava o no il cappello? Il dottor Eklund tutt'a un tratto era diventato troppo intimo; da un istante all'altro, era pronto ad appropriarsi di quella donna. C'era in tutto ciò un'ansietà buffonesca: la squadrava come se lei fosse stata un potenziale marinaio pronto a far la firma per un viaggio, e lui non fosse sicuro che era adatto. Era pronto a dare ordini, consigliare, interrogare.

Lars disse: «Ce l'ho io a casa mia, il suo cappello».

Adela si voltò: Lars osservò sul suo viso la montante marea della sorpresa.

«È sul mio letto. Il suo cappello».

«Lei! Quell'uomo, quel pazzo! Direi che bastava, per una giornata! Perché deve esserci anche lui? Chi gli ha chiesto di venire?». I due solchi verticali si accostarono co-

118

me un paio di picchetti di una palizzata. Ma era più calcolo che rabbia.

«Nessuno gliel'ha chiesto. Semplicemente è capitato qui», disse Heidi.

«Perché aveva la mia chiave», spiegò il dottor Eklund. «Aveva preso la mia chiave, ecco perché».

Adela sbatté l'anfora di ottone sul tavolino del retrobottega, a due centimetri dalla tazza del dottor Eklund. «È capace di dire qualsiasi cosa. Capace di fare qualsiasi cosa. La cosa da fare sarebbe chiamare la polizia».

«Via, quello sarebbe proprio uno sbaglio», disse il dottor Eklund.

«La polizia c'è apposta per i ladri, no?».

«Via, via. Aspetti, la prego. Un manoscritto di dubbia origine. Ancora non sappiamo se è o non è *Il Messia*».

«Questo è proprio il quesito che il dottor Eklund risolverà», disse Heidi in tono conciliante. Era come se fosse stata spedita — forse da delle invisibili convergenze, o forse da parte dello stesso dottor Eklund, o magari davvero dall'idea della polizia? — in missione di pace. «Non si deve preoccupare di Lars. Ha avuto una crisi, e adesso è passata».

Adela sbuffò, con violenza. «Mi ha assalita! Oh sì, è passata, gli ho raccontato tutto, e lui mi ha sbattuta per terra».

«Perché lei non mi lasciava dare un'occhiata».

«Un'occhiata?», disse il dottor Eklund. «Un'occhiata a che cosa?».

«Al *Messia*. È scappata portandoselo via dentro a quel sacchetto».

«Lui ha cercato di rubarmelo».

«Un'occhiata avrebbe dovuto lasciargliela dare», disse il dottor Eklund con severità.

«Sì, avrebbe dovuto lasciargliela dare», disse Heidi. «Non è stato giusto. Comunque farà le sue scuse. Lars le farà le sue scuse, vero?».

«Lasciamo perdere», mormorò il dottor Eklund; quel che di stravagante si era esaurito. «Stiamo facendo tardi, per quello che dobbiamo fare. Se lei non ce lo vuole, lui dovrebbe andar via».

Lars disse: «Dov'è quel sacchetto? Non l'ha con sé, quel sacchetto».

«È il cappello, che non ho», derise Adela.

«Ma perché non se ne *va*?», disse il dottor Eklund, giocherellando con un altro fiammifero.

Era straordinario: la voce del dottor Eklund — quel vezzo di accentuare una parola, la dura, breve ondulazione di quel "va" — era esattamente quella di Adela. Il capitano di mare e Adela venivano da qualche parte lontana del mondo, la stessa parte. Le stesse modulazioni, le stesse eruzioni e discese a lava delle vocali. Era chiaro che, un tempo, avevano abitato vicino, il dottor Eklund e Adela. E tuttavia Adela costituiva in qualche modo una provocazione. Il dottor Eklund tanto comprensivo, il dottor Eklund gemello psicologico, adesso, ecco che il dottor Eklund cercava di buttar fuori Lars. La trasformazione era arrivata con Adela. Era come se una vibrazione di avvertimento fosse stata messa in moto, un qualche meccanismo repentino o un allarme indefinibile di cui Lars riusciva a distinguere il ronzio, sullo sfondo, dietro gli scaffali, lontano dagli occhi.

Questo fece sì che Heidi, inaspettatamente, prendesse le sue difese. «Ha il diritto di restare, perché non dovrebbe restare?». Era conciliante, era accomodante, era affabile; tutto a un tratto era rappacificante; intendeva prendere le sue parti. «Ciò che c'è in quel manoscritto, ha più importanza per lui che per qualsiasi altra persona al mondo. È la sua *mania*», disse, come se pronunciasse il nome di una spaventosa malattia contagiosa. «È il suo chiodo fisso. Non posso dire che mi abbia mai scaraventato per terra per arrivarci, no, in effetti, fisicamente, no. Ma se si parla di aggressione! Io sì che posso testimoniarlo! È sul mio cervello che si è buttato, ed è ben peggio, no? Mi ha fatto raccattare tutti i suoi avanzi. Ho dovuto rimasticare tutto quello che lui ha masticato. Le persone così nascono, Dio sa come o da chi, a compensazione di quello che non c'è. Versano nel vuoto le cose più strane. Come sabbia in un sacco».

Chiacchiere amabili: e continuò. Disse che era diventata la sua schiava, che l'aveva resa schiava del proprio chiodo fisso, della propria ossessione. Aveva una mente, lui, che era esattamente come qualsiasi altro congegno che fabbrichi un unico prodotto. Ve la aveva incatenata, vi si era incatenato lui stesso, e allo stesso tempo era incontrollabile, era impossibile frenarlo. Era parte del costo del secolo, a suo modo una vittima. Si addossava la perdita di tutti; il dolore insensato di tutti. Insensato perché illimitato. Aveva in testa un unico pensiero: salvare. In questo era arrogante, era deciso: voleva recuperare, in tutta Europa, ogni pezzetto di carta. Il salvatore dell'Europa! Aveva la testa piena dell'Europa — tutte quelle lingue oscure in tutti quei posti cupi dove c'erano state tutte quelle uccisioni — nelle strade, nelle foreste. Si era aggrappato ai resti della tirannide, della tragedia, del caos.

«Non c'è nessun altro come lui», concluse. «Da nessuna parte. È proprio come diceva il dottor Eklund: una categoria a sé».

Durante tutta quella tirata Adela aveva ostentato un sorrisino storto e caustico. «Va be', un pazzo. Lei l'ha chiamato un prete, e intendeva dire un pazzo. Ma allora perché diavolo mi ha voluto mandare da lui? È stata lei a mandarmici!».

«Be', ho pensato che lui dovesse darci un'occhiata».

«Che il *prete* dovesse darci un'occhiata, oppure il salvatore? Oppure solo il pazzo? Signora Eklund, lui l'idea di tradurlo non l'ha mai neanche presa in considerazione. E questo, lei lo sapeva benissimo. Non venga a dirmi che non lo sapeva! È per questo che non gliel'ho lasciata dare, un'occhiata».

«No, no», protestò Heidi, «lei non mi segue. Il modo in cui si è buttato sul polacco, non l'ho forse visto io coi miei occhi, come s'è buttato sul polacco? L'ha buttato giù senza neanche masticarlo. Lui si butta su quello che è fondamentale...».

«Lui racconta delle grandi baggianate».

«Quello che cerca, è l'originale delle cose. È come le dissi, è esattamente come le dissi. Lui è un prete, un sacerdote dell'originale, non è forse questo che le dissi?».

Heidi era diventata il suo avvocato, prendeva le sue parti. Quella era una sorta di rappresentazione teatrale: Lars si trovava a teatro. Tuttavia si sentiva escluso. Dietro il sipario di un proscenio (ma il sipario era ermeticamente chiuso davanti a lui) stava infuriando un qualche dramma. E lui, neanche come spettatore vi aveva un ruolo ragionevole. Che cosa sarebbe dovuto essere, da qui in avanti, se non era il figlio di suo padre? E lei, la figlia, quella falsa figlia? Ora l'autore del *Messia* non era il padre di nessuno. A che cosa non aveva rinunciato, Lars! Una capitolazione: si era arreso davanti al racconto della falsa figlia. Lui non aveva alcun racconto concreto da opporre a quello di lei: soltanto quest'impeto del sangue. Il racconto di lei era verosimile quanto poteva esserlo qualsiasi altro racconto nel deserto dell'Europa di quarant'anni prima. Quelle storie avevano una loro plausibilità. Lars aveva, che cosa aveva? La sua vecchia certezza, che gli era cresciuta addosso come un'unghia. Lui l'aveva tagliata; ed era rimasto lì, spoglio di ogni verosimiglianza. Lei non era la figlia di nessuno? Tanto più, allora, lui non era il figlio di nessuno.

Come era difficile respirare — inspirare ed espirare — senza un'illuminazione! Tutto estinto, spento, soffocato. Abbandonato. La luce che usciva galoppando come un corno, quasi che una immensa sella fosse stata gettata sui fianchi dell'universo, una sella col suo ardente corno di luce, che usciva galoppando dall'occhio fisso di suo padre... Dissolta. Si era lasciata morire. Non sarebbe mai più ritornata.

L'odore di arrosto di una fiamma: il dottor Eklund che sfregava un altro fiammifero — un fiammifero dopo l'altro — per riaccendere la sua pipa spenta.

Le donne continuavano a discutere. Era un litigio; non era un litigio. Poteva essere la simulazione di un litigio. Marionette. Il retrobottega di Heidi pieno di intrighi, di cabale, ma perché mai gli veniva da pensare così? Un furore da palcoscenico: voluto, diretto, con tanto di battute d'entrata. Adela voleva che lui se ne andasse; Heidi voleva che lui restasse.

Il dottor Eklund era indifferente. «Fatelo andar via, fatelo restare. La vera questione è un'altra: è valido o no, il testo?».

Adela disse, tagliente: «Lui crede che gli appartenga».

«Via, via», disse il dottor Eklund.

«Se le prende, le cose. L'avete sentito anche voi! Mi ha preso perfino il cappello».

Le loro due voci erano assolutamente identiche: un suono di famiglia. L'aria fumosa si era calmata. Nulla di spontaneo si levava in quello spazio. Il dottor Eklund appoggiò la pipa sul piattino, poi spinse da parte tazza, piattino e pipa. L'anfora di ottone — non aveva manici; non era altro che una vecchia pentola ammaccata — allungava la sua forma arcaica nel bel mezzo del tavolino. Dal taschino del panciotto il dottor Eklund tirò fuori, prendendola per lo spesso stelo nero, una grossa lente d'ingrandimento, e la piazzò accanto a tazza, piattino e pipa.

«Furba!», disse Heidi, battendo con le nocche sulla pentola, facendola risuonare. «Ad aver pensato di portare questa. Con la neve che vien giù».

«Allora. Il momento salomonico. Esaminiamo dunque il nostro dubbio autore».

Il dottor Eklund prese l'anfora di ottone a due mani dal tavolino e la sollevò. Eccola che saliva su a una discreta velocità uniforme: una torpedine; una balena con la bocca aperta; un calice. A un certo punto la inclinò, finché la bocca non fu rovesciata e vomitò il disordine, il caos: una pioggia di lacere ali bianche, una confusa Invincibile Armata di vele bianche. Cento fogli uscirono vorticando, sgualciti, macchiati, chiazzati, invecchiati. Ciò che era stato sparpagliato sulla trapunta di Lars quella mattina usciva adesso alla rinfusa dal vaso di Ali Babà.

«Furba!», ripeté Heidi. «Così è rimasto tutto asciutto!».

Il dottor Eklund sbatacchiò per terra l'anfora svuotata. Colpì il pavimento con la nota risonante di un cembalo, e rotolò su un fianco verso i piedi del dottor Eklund. Era chiaro che il dottor Eklund — magia! — aveva immediatamente capito che cosa doveva fare con quello strano recipiente. Aveva visto che era lì per essere rovesciato e svuotato.

Lars guardò nella direzione di Adela. Si era mossa per andare ad acquattarsi accanto al dottor Eklund; stava raccogliendo i fogli fuggitivi caduti sul pavimento. Li raccoglieva e li metteva sul tavolo, insieme agli altri. Quella calligrafia ferita, sepolta, malmenata, pesta, affogata. Tirò su ogni pagina dispersa, a una a una. Le aveva portate al negozio di Heidi in quella alta coppa metallica da trofeo: Ebe la coppiera, la messaggera, colei che porgeva. Lui la conosceva soltanto in quella veste. Voleva gridare, Ulrika, Birgitta! Non una, ma due mogli! E una figlia, perduta, sottratta! E lui stesso, adesso, senza più nemmeno la scatola dei colori: l'ultima traccia, cancellata. Eliminata. E Adela? Aveva avuto una vita, prima dei sacchetti e dei vasi? Una donna della sua stessa età, che stava diventando grigia come lui. Non era sua sorella; non aveva sorella, lui, non aveva padre, non aveva alcuna idea di come si chiamasse sua madre. Si era dato un nome da sé, in segreto: Lazarus Baruch. Chi avrebbe potuto dirgli altrimenti, chi avrebbe potuto negargli questi viluppi, questi intrecci? E poi, attraverso divinazioni con l'aiuto del dizionario e spostamenti cabalistici, Lars Andemening. Chi avrebbe potuto impedirglielo? Egli aveva la terrificante libertà di scelta dell'orfano. Poteva diventare quello che voleva; nessuno poteva proibirlo: egli poteva scegliersi la propria storia. Poteva scegliere e poteva rinnegare. Era spaventosamente, spaventosamente libero.

E lei? Adela? C'era un marito, dietro le scene? Si era lasciata dietro una traccia di qualche sorta? Aveva un figlio? Un padre?

Il dottor Eklund non faceva in fretta. La sua lente d'ingrandimento indugiava sospesa, implacabile. Sembrava studiare una parola alla volta, o perfino una lettera alla volta. Di nuovo si frugò nel taschino del panciotto: un documento dentro una busta. Stava confrontando gli occhielli d'inchiostro del documento con gli occhielli d'inchiostro — interrotti, malridotti, nascosti — fluiti dall'anfora di ottone.

«Ricorre», disse il dottor Eklund. «Osservate come ricorre. Questo corno rivelatore. Questo uncino onnipresente. Il bastone di un pastore; o di un vescovo».

«Il dottor Eklund», disse Heidi, «è un'autorità nel campo della olografia. Un'autorità mondiale. Viene chiamato da ogni parte per le autenticazioni. Viaggia per tutta l'Europa. È stato nell'America del Sud. Lo chiamano dappertutto».

Il dottor Eklund allungò la mano alla pipa, se la mise fra i denti, e succhiò. «Presto», disse, «scopriremo la verità».

Un gemito si sprigionò da Lars. Lo scimmione fetale che viveva accanto ai suoi più intimi visceri si svegliò di soprassalto; dette uno scarto. «La verità!», disse. «Malignità, nient'altro che malignità! Con una studentessa, una sua allieva! Come se un uomo — un uomo come lui — potesse mettersi a copulare con una bambina!».

Il dottor Eklund cominciò a canticchiare a bocca chiusa un breve frammento di canzone. Heidi si tolse le pantofole, le mise una accanto all'altra sotto la giunchiglia, e si sdraiò sulla sua branda: il viso le si era appesantito, le palpebre le si erano appesantite. «Sarà bene che aspetti il verdetto», mormorò.

«Non c'è nessun verdetto. C'è soltanto quello che è lì, e basta», disse Adela dal pavimento.

La lente d'ingrandimento indugiava, sospesa; vagava a sinistra, vagava a destra. Il dottor Eklund continuava a canticchiare a bocca chiusa: due battute, e silenzio; tre battute, e silenzio. Quei brandelli di canzone facevano pensare a una via di mezzo fra una ninnananna e una canzone marinara; rendevano Lars oscuramente inquieto, irrequieto. Quel tanto di paura, se ne ricordò: stava tornando, goccia a goccia; antica, inesplicabile, riconoscibile. Ed era il dottor Eklund, lì, che la provocava, che la punzecchiava e la faceva rivivere: il dottor Eklund, con i suoi ditoni da pirata e i loro anelli scintillanti, che prendevano su una pagina dopo l'altra del perduto *Messia*, e la grande lente che girava in cerchio.

«Fuori discussione. Assolutamente fuori discussione», dichiarò il dottor Eklund. «Osservate, osservate. Le maiuscole: distinguibili come un'impronta digitale. Un'altra W come quella di quest'uomo non la trovereste in tutto il mondo. O un'altra T come questa. Quello che abbiamo, qui» — levò in alto la lente d'ingrandimento, come il pastorale di un vescovo — «è del tutto genuino. Autentico, lo garantisco. È esattamente quello che dichiara di essere. Non ho alcun dubbio, sono pronto a scommetterci qualsiasi cosa. L'originale».

Heidi, assonnata, i fili della frangetta bianca che si aviluppavano come il fumo della pipa del dottor Eklund, languida come un gatto che fa le fusa, disse sommessa dalla sua branda: «Un falso. Potrebbe essere un ottimo falso. Olle, lo sai bene come può essere bravo un falsario»; e chiuse gli occhi.

Adela se ne stava seduta immobile come una bambola, a un palmo dall'anfora di ottone, appoggiata contro la gamba del tavolino. *Adela è profondamente addormentata, la bocca dischiusa, il viso rilassato e assente; ma le palpebre abbassate sono trasparenti, e sulla loro sottile pergamena la notte scrive il proprio patto col diavolo, per metà testo, per metà disegno, pieno di cancellature, correzioni, e sgorbi.*[2]

«Mia buona donna», incalzò il dottor Eklund, «nessun falsario al mondo potrebbe riprodurre questi bastoni da pastore. Per quanto esperto. Neanche il maestro più ispirato, credi a me! Ecco qui una lettera, indirizzata a un certo Tadeusz Breza,[3] scritta dal nostro autore; ed ecco qui questa pagina. Una pagina sfortunatamente molto malridotta, ma osserva. I tratti sono identici. Puoi vedere da te come le lettere più lunghe si espandono da una specie di sporula straordinariamente trasparente. E queste virgole, con la coda troncata come per un colpo di tosse! Un lavoro d'intaglio, tipo quelli che fanno i marinai, del sistema nervoso: queste funi attorte, i nervi stessi. L'inchiostro è molto vicino. La carta non identica, però molto vicino. Di quel periodo, senza dubbio fabbricata a Varsavia, forse a Lvov...».

Adela non si muoveva. Heidi non si muoveva. Quelle donne erano apatiche; letargiche. Probabilmente era ciò che si aspettavano. L'avevano sempre saputo. Ci avevano sempre creduto. Il verdetto le aveva soltanto sfinite; ormai, atteso com'era da tanto tempo, agiva come una sorta di sonnifero. Neanche il dottor Eklund dava l'impressione di essere eccitato.

Ma lì, sul tavolo, giaceva sparpagliato *Il Messia*. Recuperato. L'originale. *Il Messia*, sciorinato nel suo polacco curiosamente estatico, davanti agli occhi di tutti. L'originale! Ritrovato; risorto; redento. Lars, guardando con

2 Da «Edzio», II, in *Il sanatorio all'insegna della clessidra*. (*N.d.t.*)
3 Un corrispondente di Bruno Schulz. (*N.d.t.*)

tutta la sua forza, sentì la propria ordinaria pupilla consumarsi in una conflagrazione dentro la sua orbita. Come se stesse copulando con un angelo dalle ali in fiamme.

13

Sempre, in seguito — dopo che tutte quelle lettere furono ridotte a pochi resti carbonizzati e a scaglie di cenere — Lars ebbe a dolersi di quella frenesia animalesca che gli aveva fatto percorrere come una furia le pagine in disordine del *Messia*. Il dottor Eklund era stato più che disposto a concentrarsi sulla sua pipa mentre Lars scorreva all'impazzata quelle risme di carte rovinate. Le due donne — Heidi stordita sulla sua branda, Adela inerte sul pavimento — sembravano come sospese. Aspettavano. Non le si udiva respirare, quasi che avessero rinunciato all'ossigeno, o ne avessero soppresso il desiderio.

Nel frattempo, Lars si era buttato sul testo con la forza di uno che si scagli contro una parete di vetro. L'aveva infranta, si era ritrovato dall'altra parte, e che cosa c'era? Archi e nicchie barocche, siepi intricate delimitanti scorciatoie di una lingua così incisa, così *sanguinante* — il minimo tocco poteva scatenare cento lame affilate — che con questo coltello o quella punta riusciva a sorprendere il viaggiatore ovunque, lungo il suo cammino. Lars non opponeva resistenza, non si nascondeva; lasciava che la sua carne venisse lacerata. Niente lo tratteneva, niente lo rallentava. Terribile, la furia della sua fame, che gli faceva masticare amo e lama, lingua e voce, del vero *Messia*! Rapacità, ingordigia!

Sempre, in seguito, Lars ricordò il levarsi delle proprie lamentazioni. Era come se fosse andato accumulando rimorso pur mentre correva a perdifiato da un passo all'altro. Non riusciva a trattenere ciò che si trovava davanti;

non riusciva a tenerlo. L'amnesia scendeva con l'opacità di un cappuccio calato. Ciò che prendeva, perdeva. E subito si affliggeva, perché non riusciva a tenerlo.

Adela non c'era. La ragazza, la domestica, sinistra, elusiva, brutale, sempre in agguato per corridoi e attici in *Le botteghe color cannella*, in *Sanatorio*, non c'era da nessuna parte, nel *Messia*. Di questo, Lars era contento: una vendetta contro la Adela in carne e ossa, con tutte quelle sue arie d'importanza, lì appoggiata come una marionetta contro la gamba del tavolo. *Il Messia* ne aveva annientato il nome.

E tuttavia, ciò che Adela gli aveva detto era vero: l'ordine delle pagine non aveva importanza. Quei poveri fogli sciupacchiati erano numerati in modo irregolare, alcuni non avevano neppure il numero di pagina, e un vortice fluiva in un altro vortice; v'erano sequenze e conseguenze, paralleli e paradossi, comunque li si mescolassero. Lars pensò a quelle catene di montagne che si ergono dall'abisso del mondo lungo la più profonda spina dorsale del mare, dove l'oscurità che vi regna risponde così perfettamente all'idea platonica delle tenebre, che perfino il cieco, sgusciante pesce ambliope se ne allontana, nuotando verso acque meno profonde, eppure, dentro la sputacchiera rovesciata di quell'abisso, vi sono fiumi che s'intersecano, gorghi che torcono i loro colli spumeggianti, correnti multiple che salgono verso l'alto intrecciandosi, cascate che buttano ruscelli come capelli, e mille getti e spruzzi che bombardano i picchi di quel paesaggio oceanico. Stessa cosa con l'intelligibilità dell'ordine, della numerazione, dello schema di successione del *Messia*: tutto che si sovrapponeva, prolifico, tutto simultaneo e multiforme.

Ma questa idea valeva soltanto per una presa di coscienza del sistema. *Il Messia* era una distesa priva d'acqua. Non una nuvola, non una foschia, non una nebbia; non un pozzo, non un secchio; né oceano né stilla; neanche una gocciolina, una spruzzatina, una pioggerellina. Non

130

un icore di alcun genere, divino o non divino. Era arido come il deserto, da cima a fondo. Allo stesso modo era spoglio di qualsiasi polvere celeste — non un pianeta, non una stella, non una galassia, non un cielo, non un azzurro, non un infinito — e questo era davvero bizzarro, perché *Il Messia*, nella misura in cui si poteva stabilire che avesse a che fare con qualcosa (e Lars, in preda all'amnesia, dimenticò in seguito quasi tutto), aveva a che fare con la creazione e la redenzione. Era un'opera di cosmogonia e entelechia. Come tutto quanto traboccava da quella preternaturale cornucopia che era l'occhio del genio di cui Lars, non più tardi di quella mattina, aveva sognato di essere il figlio, *Il Messia* aveva la sua «località», il suo luogo, il suo centimetro, il suo minuscolo grano di terra. L'universo del *Messia* era Drohobycz, una cittadina della Galizia.

Adela non c'era. E tuttavia non era proprio esatto dire che Adela non c'era. C'era, ma non viva, e innominata. Dapprima compariva come una bambola di pezza, calva, abbandonata su una mensola, lo scalpo, però, era di porcellana, e le palpebre potevano aprirsi e richiudersi di scatto. In un'altra pagina quella stessa bambola floscia veniva trasformata e resa rigida: adesso era un manichino da sartoria, tela tirata su dei fili di ferro piegati. Altrove era divenuta una di quelle statue sacerdotali mesopotamiche, intagliate nella pietra soltanto per il gusto del loro terrificante sorriso. Infine, Lars si rese conto che si era trasformata, in tutta purezza d'intenti, in un idolo. I suoi occhi erano, convenzionalmente, dei gioielli verdi. Questo idolo, fatto di una qualche morta materia artificiale, non veniva mai chiamato Adela, né in alcun modo suggeriva di essere Adela. Benché Lars non fosse in grado di asserire che Adela era da qualche parte nel testo, ve la riconosceva ugualmente.

Drohobycz era adesso del tutto popolata (ma questa parola era inadeguata) da idoli. Alcuni erano grassi Budda nella posizione del loto, incapaci di camminare o di muoversi; venivano trasportati su delle lettighe da figurine egizie in miniatura, svariate dozzine per ogni lettiga. Altri erano mastodontiche teste dell'Isola di Pasqua. Un altro era Ikhnaton, il monolatro, la faccia e le membra deformate dalla malattia, egli stesso elevato a idolo. Moltissimi avevano la forma di grandi uccelli di pietra: falchi, aquile, avvoltoi, sparvieri, giganteschi corvi scolpiti in marmo nero. Ognuno di questi idoli veniva considerato come un grande, potente dio oppure dea, capace di controllare il presente e il futuro di Drohobycz, e in modo particolare il suo passato. V'era un altro idolo piuttosto modesto — aveva la forma del proprietario di negozio di tessuti — che era in grado di alterare gli ultimi cento anni di storia di Drohobycz con la semplice manipolazione di una certa serie di bottoni da pantaloni cuciti abilmente nel risvolto del suo caffetano.

Non un essere umano restava a Drohobycz; soltanto centinaia e centinaia di idoli. Alcuni erano indegni, rozzi e malfatti, ma per la maggior parte rappresentavano l'ispirata fatica di eserciti d'ingegnosi artigiani, e v'era addirittura un piccolo gruppo di capolavori. Strade e botteghe straripavano e formicolavano di tutti quegli straordinari totem di legno, di pietra, di ceramica, d'argento e d'oro. Poiché non v'erano esseri umani che potessero adorarli, non era molto chiaro quale fosse il loro fine. Di conseguenza, i più timidi fra di essi presero ad adorare i più aggressivi; all'inizio, peraltro, questo era piuttosto raro. Ogni idolo era avvezzo a esser guardato come qualcosa di sublime, ognuno si aspettava di vedere da un momento all'altro una donna in ginocchio, un bambino che recava un cesto colmo di offerte, uomini in vesti sacerdotali che bruciavano incenso, oppure sacrificavano un montone o perfino un altro essere umano; ma non v'erano più esseri umani a Drohobycz. Erano tutti partiti per lunghi, strementi viaggi verso altre città. Tutti quelli che in passato avevano fatto il bottegaio, per esempio, erano in visita presso i loro confratelli bottegai a Varsavia e a Budapest. Gli insegnanti di liceo giravano per i musei di Parigi. Parecchie fidanzate mancate languivano a Londra. Il resto della popolazione era variamente disperso, e lo si sarebbe potuto trovare, se necessario, a Praga o a Stoccolma o a Mosca, o perfino in città lontane come New York, Montreal e Tel Aviv.

Gli idoli di Drohobycz erano piuttosto passivi, e non avevano alcuna idea di come fare a trovare e a riunire i loro adoratori. Mai neanche passò per la testa a nessuno di essi di far qualcosa di più che girovagare dentro e fuori il parco pubblico, strascinare i piedi per le botteghe deserte, e aspettare. Era come se tutti quelli che una volta erano stati gli abitanti di Drohobycz si fossero convertiti all'ateismo e fossero fuggiti. La religione si era esaurita nelle chiese così come nell'ufficio postale e nelle scuole e nella biblioteca pubblica. E questo era un vero peccato, perché gli idoli non erano mai stati in condizioni più splendide — lucidati, verniciati, decorati — di quanto lo fossero durante il loro soggiorno a Drohobycz. Erano, a dir la verità, quasi fin troppo incantevoli, fin troppo seducenti, ed è probabile che questa fosse la ragione per cui incominciarono a farsi reciprocamente l'inchino, e alla lunga addirittura a farsi l'un l'altro dei sacrifici.

Sempre più spesso vi erano dei falò sacrificali per tutta Drohobycz. Gli idoli più alti e più forti cominciarono ad afferrare gli idoli più piccoli e meno importanti e a gettarli fra le fiamme. Divinità dai torsi lucenti, in particolare piccole dee medio-orientali con i loro fragili seni appena sbocciati, con le loro collane fatte di pezzetti di rame bruniti come uno specchio e infilati in striscioline di pelle di serpente, e talvolta perfino una squisita immagine di Venere in miniatura, non più grande di un dito, venivano fatte a pezzi o fuse per compiacere le fauci di ferro di un qualche enorme, pigro Moloc. Giorno e notte, turbini melati di caldo incenso e l'acre odore di fumo del metallo che arrostiva volteggiavano al di sopra di Drohobycz.

La cittadina era in fiamme, idoli che bruciavano idoli in una frenesia di mutua adorazione.

Poi — come niente fosse, senza fanfara alcuna — arrivò il Messia. (E quasi subito si disintegrò.)

Egli aveva origine... no. Non si poteva dire «egli» aveva origine, oppure «ella» aveva origine, benché la descrizione del Messia non giustificasse neanche l'uso del neutro. Tuttavia, sarà proprio del neutro che bisognerà accontentarsi. Il Messia era vivo, organico, palpitante di un movimento e di una agitazione sfrenati; e tuttavia non come un robot, non come una macchina. Era come se un organo vitale interno fosse uscito a vivere la propria vita nel grande mondo, una milza, diciamo, oppure un pancreas, o un intestino, oppure un cervello. Ma questo soltanto a mo' d'indizio e di suggerimento, non come analogia o esemplificazione. L'origine del Messia — o almeno la stia da cui si riteneva che, arrampicandosi, fosse uscito — era la cantina, figuriamoci, della sinagoga di Drohobycz. Un tempo, da che c'era memoria d'uomo, era vissuto là sotto un uomo vecchissimo. Generazioni e generazioni sapevano che Mosè il Giusto, come veniva chiamato, dormiva sopra l'enorme mucchio di fieno che costituiva sia la sua mercanzia sia la sua bottega. Faceva il venditore di fieno, ed era inoltre un santo famoso. Frotte di mendicanti accorrevano alla sua caverna, e lui li rimandava sempre via con tutto quello che aveva in tasca. Ultimamente, com'è ovvio, la cantina era rimasta vuota.

Gli idoli ritenevano che la struttura interna del Messia fosse stata riempita del fieno di Mosè il Giusto, come uno spaventapasseri. Questo era falso. Più che a qualsiasi altra cosa, il Messia (osservò Lars) assomigliava a un libro, anzi Il Libro che in uno dei racconti di *Sanatorium pod Klepsydra* era stato paragonato a *l'enorme rosa di un cavolo: i petali, a uno a uno, palpebre su palpebre, tutte cieche, vellutate, so-*

gnanti.[1] Questo Libro era anche stato presentato come un *postulato;*[2] e ancora, come *il Libro autentico, l'originale sacro, per quanto al momento degradato e umiliato.*[3] All'apparenza sembrava fatto di vari, comuni materiali inerti, nessuno dei quali costoso o in alcun modo prezioso, cotone: cartone, colla, filo; e neanche una manciata di fieno. La sua locomozione aveva un che di vagamente pauroso, ma era anche, in qualche modo, impedita e limitata: disponeva di svariate centinaia di vele a guisa di ali, che si agitavano in senso orario o antiorario come le pale di un mulino. Ma queste numerose «braccia» erano, se mai, più simili a delle pinne, completamente piatte, chiazzate dappertutto di segni color inchiostro, le quali davvero ricordavano delle pagine che venissero voltate. In effetti, peraltro, dei petali quelle pinne avevano proprio la consistenza umidiccia; e non v'è dubbio che i loro strani tatuaggi facevano pensare a un qualche postulato annotato in un senso arcaico, un tipo di carattere cuneiforme, forse, benché fosse impossibile dire che cosa quel testo illeggibile proponesse come tesi o come assioma. Se osservato con estrema attenzione — ancor meglio, se esaminato con la lente d'ingrandimento (asserzione dell'autore, questa: non v'erano, in loco, occhi umani che potessero farlo) — quei segni color inchiostro si rivelavano essere dei disegni, infinitamente minuscoli e di brillante esecuzione, di quegli stessi idoli che si erano impossessati della cittadina di Drohobycz. Era ormai evidente che Drohobycz era stata invasa dai caratteri di un alfabeto sconosciuto.

Intanto, mentre le pinne ticchiolate ruotavano senza sosta mandando un grande ululare di vento, la struttura stessa scricchiolava di vetustà, era sul punto di rompersi, di afflosciarsi, o semplicemente di volare in pezzi,

1 Da «Il Libro», i, in *Il sanatorio all'insegna della clessidra*. (*N.d.t.*)
2 Da «Il Libro», ii, ibid. (*N.d.t.*)
3 Da «Il Libro», v, ibid. (*N.d.t.*)

quand'ecco che dal calderone di quel gran vento improvvisamente un uccellino fu lanciato in alto; portava nel becco un filo di fieno secco.

Era una nascita. Il Messia aveva partorito un uccello; e nel momento in cui l'uccello volò via, vivo, da quell'implacabile congegno ruotante che era stato il Messia, la cosa — o l'organismo — si disgregò con il frastuono di immensi crolli e cedimenti, cartone come pietra, cotone come osso, petalo di granito su postulato di ottone: degradato e umiliato. Il vivace uccellino, faticando, svolazzò da idolo a idolo, sforzando i delicati muscoli delle ali, e toccando ogni idolo col suo filino di fieno. E si levò allora da Drohobycz un rimbombo di lamentazioni e di elegie, mentre i falò si estinguevano, e gli idoli venivano dissolti in faville dalla minuscola bacchetta magica di fieno agitata di qua e di là dal povero uccello svolazzante, finché la cittadina restò disabitata, vuote le strade vuote le botteghe e vuote le case, e le particelle delle faville scolorirono, facendosi cenere.

Gli esseri umani: spariti. Gli idoli: spariti. Soltanto quel frenetico uccellino nato da un organismo chiamato il Messia, e vaghi lamenti che morivano...

14

In quella stanza, Lars se ne rese conto, c'era una menzogna.

«Lei non è venuta a cercare un traduttore», disse a Adela. «Non era quello. Anche se io fossi stato all'altezza».

«Anche se lei fosse stato all'altezza». Il dottor Eklund si dette da fare per rimettere insieme le pagine del *Messia*. Allungò il grosso braccio da capitano di marina verso il pavimento, in cerca dell'anfora di ottone; la manica, sventolando per proprio conto, dette un rapido scappellotto all'orecchio di Adela. «Lo vede? Come le dicevo, signorina. A mio giudizio non vi sono dubbi, e lo ripeto: nessun dubbio. La mano dell'artista».

«La mano», echeggiò Heidi, «dell'artista». Lars provò come la sensazione di essere nella cucina del castello della Bella Addormentata, quando l'incantesimo si spezza e tutte le pentole ricominciano a bollire. Era come se Heidi avesse premuto l'interruttore e si fosse riaccesa. E che cos'era, oltre tutto, che aveva mandato in trance quelle donne?

Adela — scossa di colpo dalla sua sonnolenza — aveva strappato i fogli di mano al dottor Eklund e li stava ricacciando dentro l'anfora di ottone, a manciate.

«No, mia cara, non è codesto il modo. Sta strapazzando un materiale prezioso all'estremo...».

«Immensamente prezioso. Immensamente, immensamente», disse Heidi.

«Non venitelo a dire a me. Sono io che li ho trovati! Io sono quella a cui appartengono. Io sono la figlia di chi li ha scritti».

Heidi emise la sua risata canina.

«Le carte di quest'uomo appartengono a tutta l'umanità», disse il dottor Eklund.

«Lui» — Adela scoccò la sua freccia contro Lars — «ha detto che appartengono a lui».

«La prego. Niente rancori. Il problema è che cosa si deve fare. Una decisione, giusto? Dobbiamo arrivare a una decisione».

Dunque anche il dottor Eklund aveva un «noi».

«Io non c'entro», disse Lars.

«Oh sì, Lars. Lei c'entra, eccome», obiettò Heidi. «Lo vede da sé come c'entra!».

«Visto che si è tenuto la mia chiave», disse il dottor Eklund.

«Visto che si è tenuto il mio cappello», disse Adela.

Come si assomigliavano, le loro voci!

Lars schernì: «Lei è quella che diceva che cercava un traduttore!».

«La traduzione è il meno», disse Heidi. «Stoccolma pullula di traduttori polacchi».

«La Principessa».

«Ancora meglio».

«Il dottor Eklund, allora».

«Gliel'ho già detto, lui ha cose più importanti da fare».

Un fiammifero che si spengeva dietro l'altro; il dottor Eklund stava di nuovo occupandosi della sua pipa. «Quest'opera», disse, «è destinata a entrare in tutte le lingue del pianeta».

«Il pianeta?», disse Heidi. «Lascia perdere il pianeta, Olle, e pensa a Stoccolma».

«Sì, cominci con Stoccolma», disse Adela.

Il dottor Eklund interruppe: «Mia cara Adela... Adela? È Adela, vero?».

«Adela», disse Heidi.

«Indubitabilmente lei ci porta questo manoscritto, che dietro ha una storia. Una storia, giusto? Questo signore non ci crede, lo vedo bene. Indubitabilmente c'è una storia, e perché mai non dovremmo crederci? Si è mai visto un manoscritto *sans* una sua storia dietro? Giusto? E questo qui in modo particolare. Se lei questa storia la raccontasse a me, io le assicuro che ci crederei. Ma qualsiasi sia la storia, qualsiasi sia il racconto di ciò che c'è dietro, qualsiasi il suo attaccamento o devozione...».

«Dice di essere la figlia», osservò Heidi, con distacco.

«... adesso è giunto il momento di rinunciarvi».

«Guardi Lars! Lui ha rinunciato a tutto», disse Heidi.

«Per il bene dell'umanità», disse il dottor Eklund, una fiorettatura da attore.

«Per il bene dell'umanità!», disse Adela. «È pronto a sostenere qualsiasi cosa. Ha ammesso di essere un bugiardo. E non poteva far altro, quello che diceva non stava in piedi. E quando gli ho detto com'è che sono entrata in possesso del manoscritto, be', è crollato, tutto qui. Non poteva far altro».

Tutto ciò era vero; Lars taceva.

«Povero Lars», disse Heidi. Non lo difendeva più, adesso. «Ma adesso che gli ha dato un'occhiata?». E attese.

Attese. Lars capiva perché. Heidi voleva che lui, sulla scia del suo grande desiderio, esprimesse la sua opinione. Il suo grande desiderio era stato esaudito: aveva preso d'assalto il territorio del *Messia*. Heidi più di chiunque altro — no: Heidi soltanto, la sola Heidi — conosceva la fornace segreta del suo desiderio; l'aveva chiamata la sua ossessione, la sua mania. Lei era la vecchia socia del suo desiderio; della sua intuizione. Soltanto lei era in grado di capire fino in fondo che cosa dovesse significare per lui riempirsi gli occhi di quel testo — proprio quel testo — la cosa stessa, le parole, le sillabe, le lettere! Quelle lettere gli lasciavano nella retina il loro riflesso vagante. E tuttavia non riusciva a leggerle, quelle figurine, era come se il polacco gli sfuggisse. Perduto. Che cos'era *Il Messia*? Perduto! Brandelli di un sogno.

Era quasi come se si fosse imbattuto nel sogno di qualcun altro. Di chi? Forse di Adela? O di Heidi? Quelle donne in trance: aveva sognato il loro sogno. Non riusciva a ricordare ciò che aveva letto appena cinque minuti prima. Un'incertezza: amuleti, un marchingegno, un uccello... frammenti di qualcosa d'incorporeo che vagava, residui di sapore folklorico; forse un momento di privazione d'ossigeno. Era rientrato, di qualsiasi cosa si trattasse, non ricordava nulla, nulla perdurava: soltanto il più tenue tremore di una forza strenua. L'impronta muta di un rumore, una città che crollava, si sgretolava, i propri gemiti, una lamentazione senza tregua. Una risonanza di spari. Amnesia. Perduto. Non restava nulla.

La lamentazione, quella restava. Un'elegia dopo un grande dolore. Quella luce devastante, che si ritirava: l'esplosione di un lampo. Come se — per un centimetro di tempo — egli fosse penetrato nelle viscere di quell'occhio, nella sua anatomia più segreta. Chiunque aveva intinto la penna nell'inchiostro che ricopriva le pagine del *Messia*, l'aveva intinta nella vitrea gelatina di quell'occhio saziante.

Il dottor Eklund levò una mano. I suoi anelli fecero risplendere il loro sfavillio da cassone di marinaio. «Quello che è necessario, quello che dobbiamo decidere prima di ogni altra cosa, è l'annuncio, capite? Il proclama».

«Bisogna fare in modo di convincere la gente. Nessuno ci crederà, questo è il fatto», disse Heidi.

Il dottor Eklund rifulgeva: le dita, i bottoni, il cocuzzolo calvo, il faccione con le sue lenti scintillanti. «Bisogna che venga data la buona novella che *Il Messia* è qui. Che è stato scoperto. Trovato. Che esiste».

«Bisogna dirglielo, alla gente, che esiste», incalzò Heidi. «Se non ci si crede, è come se non esistesse».

«Sembra che parli di Dio», disse Lars. Era sconcertato. In quella stanza c'era una menzogna, un qualche imbroglio, un qualche ripiglino impazzito, con gli anelli e gli occhiali corruschi del dottor Eklund impigliati nello spago. Lars non riusciva a capire se i nodi si stringessero o stessero sciogliendosi. Davanti a lui, dall'altra parte del tavolino, Adela era in piedi, l'anfora fra le braccia; dentro c'era *Il Messia*. Gli fece pensare a una mummia nel suo sarcofago, oppure a un bambino rotondo.

La guardò fare il giro del piccolo retrobottega con il suo fardello. Il dottor Eklund aveva tentato di farglielo cedere; anche Heidi aveva tentato. Ma lei neanche lo metteva giù.

«Che sia dell'umanità!», disse Adela. «Oh, certo! Be', e l'umanità come fa a venirne a conoscenza? E chi ci crederà?».

Turbava Lars il fatto che Adela dicesse soltanto le cose che dicevano gli altri. Anche quando opponeva loro resistenza, usava le parole di Heidi, usava le parole del dottor Eklund.

«Intanto ci creda lei. Cominci col crederci lei», le disse Heidi. «Dopo tutto, non cominciamo da lei? Lei è venuta per scoprire come stavano le cose, per sé. È venuta a consultarci. Chiunque può spacciare qualsiasi cosa a chiunque, se ha una storia che sta in piedi».

«Mia buona donna, questo capolavoro? Questo meraviglioso testo, opera di un genio? Non passerebbe per spurio più di quanto» — il dottor Eklund lanciò a Lars il suo sguardo indagatore — «più di quanto il vero Creatore dell'Universo potrebbe passare per l'idea di un filosofo».

«Lo stesso», disse Heidi, «bisogna fare in modo di convincere la gente».

Lars esitò; ci rifletté sopra. «Io l'ho detto a quelli del "Morgontörn"», disse infine. «L'ho menzionato, laggiù».

«Ah! Bravo!», esclamò il dottor Eklund.

Adela disse acida: «È stato prematuro».

Heidi domandò: «L'ha detto al suo giornale? Del *Messia*?».

«Ho detto che è stato ritrovato».

«Ma lei non sapeva...».

141

«L'ho detto comunque. L'ho detto a Nilsson: dirige la pagina culturale».

«E che cosa ha detto?».

«Non mi ha creduto. Nessuno mi ha creduto. Neanche io, a quel punto, ci credevo. Era una specie di sogno a occhi aperti».

«Lo vedete che è capace di dire qualsiasi cosa a chiunque», disse Adela.

«Adesso, però! Lars! Ha dato la sua occhiata. L'ha veduto coi suoi propri occhi. L'originale, *nicht wahr?*[1] Eccolo qui, al sicuro dentro un vaso, che Dio ci aiuti. Come una di quelle cose del Mar Morto...».

«Quelle erano di terracotta. Io devo proteggere ciò che mi appartiene», disse Adela.

«Tutta la vita lo ha atteso. Lei ha perseverato». Heidi allungò la sua testa di pecora. Egli si rese conto di come fosse vecchia, di come fosse ansiosa: in disfacimento, supplicante, ferita. Quel reticolato. Gli spari. Voleva che lui dicesse la sua opinione. «*Il Messia* esiste, lei lo ha visto. Adesso è in suo potere».

«In mio potere? Io non ho nessun potere». Quanto poco senso aveva ciò che lei diceva: *Il Messia* era in potere di Adela; o, almeno, era in mano sua. In quanto a lui, aveva afferrato qualcosa, sì — qualcosa, con troppa furia, troppa veemenza — come uno mezzo accecato che riesce a distinguere solo la luce piatta, non i caratteri sulla pagina. Oppure lo aveva tracannato tutto d'un fiato, come un prete, come un sacerdote di una qualche setta fanatica, per il quale la scrittura sia subordinata all'ora dell'accesso sacrale. La soggezione consuma qualsiasi tizzone che la accenda: era il vero *Messia* che aveva letto, o era stata soltanto la carovana del suo serraglio privato, una sorta di Notte di Valpurga, che gli era passata faticosamente per la povera scatola cranica febbricitante?

1 Vedi nota 1 a p. 111.

«È in mano sua. L'autore del *Messia*».

«Ve l'ho già detto, ho chiuso. Ho finito. Non è mio. Non posso restargli attaccato», disse. «Sono a mani vuote», e le girò per farle vedere le palme bianche.

«No, no, ci pensi! Pensi ai mezzi di cui lei dispone!».

«Ha quella rubrica, lei», disse d'un tratto Adela. «Scrive quelle recensioni. Ha i lunedì».

«Può farglielo sapere», disse il dottor Eklund. «Può annunciare una cosa stupenda. Può spiegare».

«Può rendersi *utile*», disse Heidi. «Se è accorto. Se vuole restituire all'umanità quello che appartiene a tutta l'umanità. Se ci crede lei stesso».

L'umanità, l'umanità, tutti e tre parlavano dell'umanità. Che oratori da strapazzo! Erano matti, per l'umanità. Avevano qualcosa in mente, per l'umanità. L'umanità aveva fatto loro trovare il più perfetto accordo. Lars, nel suo freschissimo smarrimento, avvertì quanto la cosa lo sbalordisse: la coda puzzolente di zolfo di una unanimità sottostante. A che cosa era attaccata?

I fiammiferi del dottor Eklund, lo schianto soffocato, identico, di una scintilla dopo l'altra, ogni fiammifero di concerto con gli altri, tutti tesi ad accendere un fuoco recalcitrante nella pipa di quel grand'uomo.

Rintocco d'un gong, breve e tagliente. Adela che finalmente posava rumorosamente l'anfora di ottone.

«Può prendere il manoscritto, se vuole», offrì — era la più grezza voce da palcoscenico del dottor Eklund — «anche prima che venga tradotto. Per farlo vedere. Che esiste. La traduzione è il meno, se vuole, può farlo vedere al suo giornale».

Che voglia aveva di tirarle un pugno e scaraventarla per terra!

«Adesso glielo lascia prendere, sa», disse il dottor Eklund, in approvazione.

«Non c'è dubbio che glielo lascia prendere. Se c'è qualcuno che può riuscirci è lei, Lars». La rete di Heidi stava sempre più allentandosi, ora, da conciliante, stava facendosi davvero importuna. «È proprio come diceva il dottor Eklund: lei è l'unico, qui a Stoccolma, in grado di riuscirci. Ha la reputazione per poterlo fare. È questo che la gente si aspetta, lei è uno che fa le presentazioni, uno che apre le porte. Un battistrada: lei è l'unico che osi, o a cui importi. Lei ha portato qua tutti quei personaggi difficili, tutti quei nomi dall'Europa centrale che è sempre a ordinare! Quei cechi, quei polacchi! Jugoslavi, ungheresi! Ha fatto sì che tutti quanti se ne accorgessero. Il signor Hemlig e il signor Fiskyngel, per esempio: è su di lei che contano perché li tenga all'erta. È lei che li sveglia, è lei che dà loro la scossa. Lei che li fa *vedere*».

Era un discorso, una declamazione, la sua bocca era tutta un tumulto: i suoi denti d'oro in disordine, da vecchia. Lo stava implorando. C'era qualcosa per cui lui era destinato. Un tremore si era impadronito delle sue narici.

Intanto il dottor Eklund annuiva con il suo faccione, incitandola a proseguire come fosse un bastone da majorette in forma d'uomo. «Personaggi difficili!» disse, ammirato. «Lei ce l'ha nel sangue, signor Andemening! D'accordo, è elusivo, ma quale opera d'arte non lo è? Eppure lei lo ha assimilato. Le abbiamo concesso di assimilarlo. Ha avuto il nostro silenzio. Adesso quello che ci occorre da parte sua è una parola. Un giudizio. Ha valore? È bello? Lei è disposto ad abbracciarlo? Ci occorre avere i risultati del suo esame».

«Ci occorre la sua rubrica», disse Adela. Anche Adela, dunque, aveva il suo «noi»? Tutti e tre avevano un «noi», lo stesso «noi». Erano compatti. Erano una cricca; una famiglia. La sua rubrica! I suoi lunedì nascosti, che nessuno leggeva, lo stava prendendo in giro. E tuttavia capiva che no, non lo stava prendendo in giro. Si rese conto — in modo incompleto, lentamente, stupidamente — che essi erano, tutti e tre, legati dalla logica di una qualche alleanza: avevano un principio conduttore comune. Era chiaro che

144

su di lui avevano un disegno. Lui era una pipa che tutti e tre stavano cercando di accendere. Quello che covava sotto la cenere, lì dentro, non era tanto una menzogna quanto una latenza. Era la loro idea privata. Quello che volevano da lui era il suo giorno della settimana. Il lunedì era la sola ragione per la quale lui si trovava esattamente dove si trovava. Si trovava lì, in piedi, a trenta centimetri dal tavolino del retrobottega di Heidi, sul quale Adela, col risuonare di alcuni pesanti dobloni, mezzo minuto prima aveva piazzato *Il Messia* nel suo recipiente di ottone. Era a causa del lunedì che gli era stata data la chiave del dottor Eklund. Era a causa del lunedì che Adela aveva fatto irruzione nel suo appartamento. Era a causa del lunedì che gli era stato concesso di andare e venire, e poi di restare.

Vide tutto con chiarezza. Ne avevano escogitate di tutti i colori perché lui si facesse l'idea che *Il Messia* era falso, al fine di persuaderlo che era autentico. Gli avevano mandato Adela con la sua storia, per schernire il figlio fraudolento con la figlia fraudolenta. Una sorella artificiale! Scherno di famiglia. Era finito in mezzo a dei giocatori, in mezzo a dei cospiratori.

«Dottor Eklund», attaccò — respirava come un corridore — «perché dice di essere il dottor Eklund?».

«Non è nessun altro», disse Heidi. «Chi altro dovrebbe essere?».

«Qualcuno a cui il nome si attagli».

«Noi poveri vagabondi, con il nostro accento penoso, giusto?», disse il dottor Eklund.

«È un falso».

«Quando sei a Roma, adèguati: fai come fanno i romani». Il dottor Eklund succhiò a vuoto la pipa, in meditazione. «In questo paese sono tutti così chiusi con i forestieri. È molto meglio non andare contro i sentimenti di un popolo chiuso».

«Impostore d'un profugo!», gridò Lars.

«Lars, Lars», implorò Heidi.

Il dottor Eklund accese, placido, un altro fiammifero. «È così poca cosa, un nome. Un nastrino. Una modesta bandierina. Una innocua decorazione. Di nascita, mi chiamo Eckstein».

Lo scimmione nel petto di Lars si svegliò con un brivido elettrico e gli si scagliò contro le costole. Innocua! Come era difficile respirare, inspirare ed espirare! C'era, tuttavia, illuminazione. Vedeva tutto con chiarezza. Si disse le sillabe di sua scelta: *Lazarus Baruch. Lars Andemening*.

«Anch'io mi sono inventato il nome. Mi sono inventato il padre».

Il padre, dalle biblioteche; il nome, dai dizionari.

«Il dottor Eklund è al corrente di tutto. Certo non le dispiacerà, vero? se gli ho parlato della sua teoria sulla sua paternità. Lei stesso ne ha parlato a Adela».

Adela si abbandonò a quello che sembrava essere il suo dovere: «Che cosa vuole che gliene importi, è pronto a dire qualsiasi cosa». Ma era diventata noiosa come un bambino obbediente.

«La compenetrazione. La concentrazione. Quello che non ci sarà voluto per indossare tali vesti, l'ascesa! Ammirabile», strombazzò il dottor Eklund. «Per un semplice Alter Eckstein piombare a Stoccolma e cominciare a chiamarsi Olle Eklund: roba da nulla. Semplicemente roba da nulla. Non richiede alcun coraggio. Non ci ho mai perso sopra neanche un'ora di sonno. Ma lei! *Gilgul!*[2] Karma! Trasmigrazione di un'anima appassionata! Signor Andemening», concluse, «le dirò che cosa fa di lei, tutto questo. Si rende conto di che cosa fa di lei, tutto questo? Fa di lei proprio la persona di cui abbiamo bisogno».

Heidi aggiunse: «Per via del lunedì».

---

2 Nel folklore ebraico, l'anima di un defunto che passa in un altro corpo vivente per assumere una nuova esistenza ed espiare i peccati commessi. (*N.d.t.*)

«Due o tre di quei suoi articoli: ecco la maniera. Uno spazio sacro. Lo riempia con la notizia. Ci ha fatto cose eminenti, lì. Gli intenditori sanno quello che lei ha fatto, non creda che non ne siano consapevoli. Lei ha il suo piccolo seguito, lei è proprio la persona che può farlo diventare una realtà».

«Sono proprio la persona che può far venire *Il Messia*». Risuonò piatto come se qualcuno gli avesse chiesto l'ora.

«Non è per questo che è sempre vissuto?», disse Heidi.

«Un falso. Sono vissuto per un falso».

«Ma ha smesso. Ha chiuso».

«Ma lei no. L'ha detto lei stessa che non chiude, signora Eklund».

«È una questione di riconoscimento. Abbiamo l'originale, qui davanti a noi, lei lo ha visto. L'ha visto per bene, non può lamentarsi. Quello che lei non sarebbe in grado di fare, a questo fine! Nessuno ne sa più di lei. Lei ce l'ha avuto in mano».

Quel tanto di paura passeggera. Aveva le mani che scottavano. Le dita si arroventavano, come i montanti di un reticolato in fiamme.

«*Il Messia* è finito nei campi di concentramento, insieme a chi lo conservava». Lars tremò: lo scimmione l'aveva afferrato per la gola. «Non può esser successo altro che questo, nient'altro che questo. *Il Messia* è finito bruciato laggiù. Dietro a quei reticolati, in quei forni. È finito bruciato, signora Eklund, è finito bruciato!».

«Ma ai suoi due occhi lei non crede? L'ha tenuto fra le mani! Non crede al dottor Eklund? Il dottor Eklund ha avuto a che fare con situazioni del genere dappertutto, ha fatto questo tipo di lavoro in decine di paesi...».

«*Avuto a che fare*: ci credo, io, che ci abbia avuto a che fare. Dove c'è fuoco c'è fiammifero. Quelle visite all'ospedale. La prima ballerina danese. Un trafficone di manoscritti poco chiari, ecco di che si tratta».

«Lei è un bambino, Lars. Lei è completamente di fuori».

147

«Poco chiari, be'..., be'...», disse il dottor Eklund. «È quello che si direbbe un tendoncino. La signora Eklund sa che non mi piace quando dà tanta confidenza, e allora tira giù questo tendoncino».

Il dottor Eklund si alzò dalla sua sedia e incominciò a camminare avanti e indietro, alzò il bollitore dalla stufa, lo dondolò per sentire quanta acqua v'era rimasta, e lo rimise a posto. In quella stretta cambusa raccolta era massiccio e pronto a prendere il largo, più come un bastimento che come il suo capitano. La lampada della giunchiglia, sul suo stelo, avrebbe potuto essere un'altra pipa che stesse per ficcarsi fra i denti. Comunque aveva perso interesse per la sua pipa; era distratto, aveva lasciato che si spengesse.

«Qualsiasi originale — qualsiasi cosa che sia un capolavoro, capisce — ha bisogno di un tendoncino. Se proprio vuol parlare di poca chiarezza, non nego vi siano delle transazioni che non possono essere condotte alla luce del sole. Troppa luce fa andare a male la merce. D'altra parte, dopo tre o quattro decenni nell'ombra, un testo diventa diffidente. Ritroso, diciamo pure. Certe volte bisogna fare opera di persuasione per convincerlo a venir fuori dal nascondiglio. Può essere in franchi o marchi o rubli o corone: qualsiasi divisa va bene. Ai testi non interessa. Davanti ai soldi si rasserenano, e vogliono far vedere come sono coraggiosi. E allora fanno capolino. Se solo avessi, di mio, i soldi che ci vogliono».

«Ecco qua. Adesso ha sentito tutto», disse Heidi. «Ora può smetterla di comportarsi come un bambino, in queste cose. Come se quegli articoli di Varsavia fossero saltati fuori dal nulla! Se non fosse stato per la rete del dottor Eklund...».

«No, no», interruppe il dottor Eklund. «All'inizio c'è sempre e soltanto il nulla. Tutto esce dal nulla. Ecco qui *Il Messia*, uscito dal nulla». Battendoci contro con gli anelli, fece tintinnare l'anfora di ottone: il suono che ne uscì fu il trillo di un vecchio carillon di famiglia, il battere di una qualche pendola che era in casa da sempre. «E questa donna così fine, questa donna nervosa, nobile, bella: non esce forse anche lei dal nulla?».

Aveva preso Adela per le spalle; era ridicolo come si piegasse in giù per mettere la sua lunga faccia davanti a quella di lei. C'era qualcosa di curiosamente meccanico, consueto, nello scambio di luce che passò fra quelle due paia di occhi. Le due fronti si avvicinarono fino a che le sopracciglia quasi si sfiorarono: il canale in mezzo avrebbe potuto nascondere dei segnali. Oppure nient'altro che le mezzelune ammiccanti delle lenti del dottor Eklund, che mandavano riflessi. Il suo sguardo possessivo, da capitano, il suo tocco da possente pirata, per metà l'aveva già lasciata andare, e stava adesso carezzandole il naso, da una parte. No, inconcepibile: stava togliendole un capello che si era intromesso. Un gesto singolarmente privato, come un gatto che si lecca una zampa: v'era un che di abituale. Adela non ci fece caso; se ne accorse appena. Era tutta concentrata sul proprio stato d'animo: era avvezza alla carezza meccanica di quelle dita spesse, una carezza che sembrava rendere più dura la piega ostinata delle sue labbra. Ma erano soltanto le labbra che opponevano resistenza: stava facendosi più e più arrendevole. Aveva l'aria di una persona che ha fatto il suo dovere. Erano già stati in combutta prima di allora, Adela e il dottor Eklund, era possibile, una cosa del genere? Si avvertiva in loro l'armonia di una vecchia coppia; e non importava che il dottor Eklund avesse su di lei almeno tre decenni di vantaggio nel mare della vita. Qualcosa era stato combinato, fra di loro; qualcosa di più abrasivo della semplice familiarità. Forse una volta erano stati amanti, era questo il dovere che l'aveva legata, ormai tanto tempo fa? All'uomo, la donna piaceva ancora; alla donna, l'uomo non piaceva. Ma si prestava. Obbediva.

149

Lei tirò indietro la testa; si divincolava per liberarsi. Un movimento risentito da bambina. Una donna sui quaranta, e si dimenava come una bambina. Fece venire in mente a Lars il corpicino sgusciante di Karin, tanti mai tristi anni prima, che si strappava da lui e si liberava; Ulrika si divertiva ad aizzare Karin contro di lui. Adela era abbastanza docile; erano soltanto le sue labbra che erano dure. La testa, tirata indietro, a un tratto apparve nuova: Lars osservò le fosse scolpite alla radice degli occhi, i cardi bianchi che le chiazzavano i capelli, il momentaneo barlume della bambina: era tutto nuovo. Non era più quella di prima. Si era immaginato una Adela specchio: l'aveva immaginata sua sorella. Non era sua sorella, ma un'illusione che faceva parte del complotto. Era tanto dissimile da lui quanto è nel potere della natura escogitare. Apparteneva a un'altra stirpe. La madre di lui — quella omissione — non era la madre di lei, chiunque fosse stata la madre di Lars. Chiunque fosse stato il padre di Lars, non era il padre di lei.

Poi vide — una ventata gli passò turbinosa per il cervello — chi era il padre di lei.

Adela venne lasciata andare; il dottor Eklund l'aveva lasciata andare. Era in piedi, accanto a lui ma un po' discosta. Non aveva nessuna intenzione di cogliere di nuovo il suo sguardo.

Heidi si lasciò ricadere sulla sua branda e fece un sospiro. «Non si potrebbe giungere a un accordo? Non ha da far altro che dir di sì».

«Non so a che cosa voglia che io dica di sì», disse Lars.

«Sì che lo sa. Lo sa benissimo».

«Ci sono dei soldi, di mezzo», disse Adela con voce fievole; ma per quanto mite e fievole, la sua voce nascondeva una fugace brutalità, come un indistinto lampeggiare lontano.

«Il valore del sublime», disse il dottor Eklund.

Quelle loro voci che, era plausibile, stavano tramando,

avrebbero potuto essere due urne della stessa origine, forma per forma, ansa per ansa.

«Non sarebbe mica qualcosa che lei si è cavato dalla testa», disse Heidi. «Non sarebbe mica come quella storia dell'occhio. È una cosa che lei potrebbe sbandierare alla luce del sole. Solido come quel recipiente».

«Ci risiamo con quest'occhio. Ma che cos'è, quest'occhio?», domandò il dottor Eklund.

«Non ne parli più», disse Lars, brusco. «Non le avevo detto che ormai è morto e sepolto?».

Adela se ne stava in disparte, tutta zitta. Lars notò per la prima volta l'osso del naso, stretto e affilato. Quello del dottor Eklund era diverso. Il misero centrotavola del largo faccione del dottor Eklund era uno schizzo tondo di sego, tirato via, tagliato da due lunghe incisioni. Non era pertanto lì che si poteva trovare: il resto della somiglianza. Poteva allora essere da qualche altra parte, poteva essere qualche altra cosa completamente diversa, magari il modo di muovere o di arrestare questo o quel muscolo. Non era nei loro lineamenti: né naso, né labbra, né occhi. Lars non sapeva dov'era. Era però sufficiente che lui lo avvertisse, e non soltanto nelle loro voci. Delle voci era sicuro.

«È vero», disse.

«Mi stia lontano», disse Adela.

Ma lui aveva incominciato. Stava puntando deciso su di lei. Non era lo scimmione. Lo scimmione era morto; la sua carcassa era un peso morto sui suoi polmoni. Era lui in persona, adesso, era l'esplosione della sua propria forza che lo faceva puntare su di lei.

«Oh sì, è vero, lo vedo coi miei occhi che è vero; e faccio le mie scuse».

«Ecco!», disse Heidi. «Ve l'avevo detto che avrebbe fatto le sue scuse!».

«Non credevo che fosse vero, ma adesso vedo che lo è. È proprio come ha detto lei: lei è sua figlia».

«Non mi si avvicini», disse Adela.

Lui alzò il braccio. Sapeva quanto era terribile il suo braccio, levato in alto, e come avrebbe voluto sbatterla per terra! Come avrebbe voluto pestarle la faccia, quel bellissimo naso minuto come un ossicino di uccello! Come avrebbe voluto calpestare le piume color tortora dei suoi capelli!

«Lei è la figlia dell'autore del *Messia*, ecco chi è lei. E l'autore del *Messia* è il dottor Eklund». Un brutto rumore andò a risuonare contro l'anfora di ottone, come una moneta lanciata: il suo vecchio gracidio rauco, o nodo, o suono aspro, o quello che era: la carcassa scomposta dello scimmione che veniva scaraventata via. «È un falso, vero? Signora Eklund, è un falso, lo ammetta! È un falso, e volete che io ve lo faccia passare per buono. Che lo sanzioni. Tanto facile, vero? Io sono proprio la persona in grado di farlo! Di aprirgli la porta del mondo, lo ammetta!».

«Che versione maligna, è la sua», emise Heidi dalla sua branda; stava però facendo appello al dottor Eklund.

Lars assalì Adela: «La versione sua non è la vera».

«Che cosa ne sa, lei, di Drohobycz? Che cosa significa Drohobycz, per lei?», disse Adela nella sua nuova voce flebile, con quei suoi distanti lampi incerti. Il braccio di lui era sempre levato in alto. Lei era sotto il suo braccio alzato. La giunchiglia versava il suo sciroppo giallo, e il braccio le gettava un'ombra sulla bocca, sul collo, e sul mento; e le braccia di lei, non avevano forse creato una tenebra sulla sua trapunta, non aveva forse, lei, con le sue braccia allargate, cancellato l'occhio del padre di lui?

«Che quel barbaro solo si azzardi», avvertì il dottor Eklund, «e quel barbaro la paga».

«Sarei io, il barbaro? Sarei io quello che la paga?», urlò Lars.

«Alla lunga, se lei è disposto» — ma la storta bocca dorata di Heidi era affondata nel cuscino — «sarà una cosa che paga».

«Ve lo faccio vedere io cos'è che paga, ve lo faccio vedere io»; e il braccio si abbassò come una tempesta che si abbatteva, le dita ad artiglio, le dita in fiamme, pronte a strappare, che passavano fulminee davanti al disprezzo sempre più nero degli occhi lampeggianti di Adela, quanto avrebbe voluto strapparglieli dalle orbite, tirarglieli fuori con le unghie, percuotere quella testa col suo fruscio di tortora, quanto avrebbe voluto spaccarla, devastarle la faccia, come si era fatta gioco di lui, come aveva cancellato l'occhio di suo padre, come lo aveva reso orfano, come aveva schernito e annullato l'autore del *Messia*. Fu invece per uno stecchino che calò in picchiata: uno dei fiammiferi del dottor Eklund sul tavolino del retrobottega, lasciati vicini alla base dell'anfora di ottone.

Il primo non andava bene: la capocchia era carbonizzata, era già stato bruciato; il tavolino era cosparso di quegli stecchini carbonizzati. Ne trovò uno pulito non usato e lo sfregò e lo gettò giù nella gola dell'anfora di ottone e guardò la guglia di fuoco salirne fuori diritta come la fiamma dalle narici di un orco. Il recipiente ebbe una scossa, ruggì, sembrò ululare; era come se dentro ci fosse un'empia belva che si dibatteva, percuoteva le pareti interne, ululando mentre moriva.

Adela era sul pavimento, raggomitolata: schiantata, sconfitta. Lui non l'aveva toccata, non l'aveva sfiorata neanche con il mignolo. Ma aveva la testa tutta piegata da una parte: i solchi verticali avevano preso l'amaro aspetto orizzontale di un segno d'uguaglianza. Il naso, con quell'ossicino da uccello, le colava. «Eccolo, il suo prete, prete, l'ha chiamato...».

«Buttaci dell'acqua, buttaci dell'acqua!», comandò il dottor Eklund.

Ma Heidi si era già catapultata dalla branda al bollitore sulla stufa, e stava versando acqua nel collo fiammeggiante dell'anfora di ottone. Il fuoco si difendeva e non voleva cedere; la guglia sprizzò più alta, il ruggito gargarizzò più forte, il recipiente continuò a vibrare e a bollire, sbattendo sul tavolino, spostandosi da una parte all'altra in una danza demoniaca. Danzando, arrivò all'orlo del tavolino e piombò a terra a pochi centimetri dall'ammasso che era Adela.

«Il mio negozio! Può prender fuoco tutto quanto, mio Dio!».

«Spostati! Attenta ai capelli! Levati di torno!». Con tutta la sua metodica brutalità di capitano, il dottor Eklund tirò indietro la scarpa e sferrò un calcio a Adela per farla rotolare via.

Lei rotolò, e gemette.

«Zitta, stai zitta, hai capito? Olle, riempilo un'altra volta, riempilo un'altra volta», e porse il bricco al dottor Eklund; e intanto Heidi pestava le grandi foglie di cavolo bruciate che uscivano furtive dall'anfora di ottone: neri fogli che si arricciavano, con delicate gorgiere increspate che avvampavano rosse. Una piena eruppe, facendo sciò, attraverso il fumo. «Ecco, ci siamo, riempila un'altra volta...».

L'anfora di ottone era diventata nera al labbro: traballò, sputacchiò, si estinse; e fumava, fumava. I fiumi che fuggivano giù per le sue fiancate calde esalavano vapore nella cenere. Il fumo rovistava.

Heidi si fustigò gli occhi con un pezzo di manica. «Ci ha ficcati in un camino! Disgraziato! Pazzo!».

Il dottor Eklund disse, freddo: «Incendio doloso».

«Ci ha fatti friggere!».

Adela, dal pavimento, mormorò: «Ve l'avevo detto, no? che era capace di qualsiasi cosa...».

«Falsario», disse Lars.

«E lei, lei non è quello che si è inventato il padre? Impostore d'un profugo! Gli zoppi», Heidi avvampò verso di lui, «che parlan male degli storpi».

«Barbaro». Il dottor Eklund sputò sull'anfora annerita: uno starnuto di vapore balzò su. «Allora io sarei stato in

154

grado di farlo, eh? Io, eh? Io! Un angelo, l'ha fatto! Che idiozia — io sarei stato in grado di farlo? È l'istinto che crea! Trasfigurazione — è a questo che crede? Un complotto che mette al mondo un capolavoro? Ha dato la sua occhiata, ha potuto vedere coi suoi occhi! E lei davvero crede che una cosa di nascita sublime si possa fare mettendosi lì a macchinare? E come? Come, senza il genio di quell'uomo che non è più? E cos'è che potrebbe mai rendere capaci di una simile personificazione?». A questo punto fu preso dal fumo; il capitano di mare era adesso un mandarino cinese nella stretta di una lingua stratificata che andava avanti per formule possenti; cadde in un prolungato clamore di tosse. Tossì e sbiancò. «Crede forse che ci sia un qualche occhio magico che cala dal cielo a portare ispirazione? Barbaro, dov'è che lo trova un occhio simile?».

«Signora Eklund», fu a lei che Lars si rivolse, «non è soltanto il negozio, vero? C'è ben più che non soltanto il negozio, nell'attività di famiglia». I suoi piedi pesticciavano nelle pozze, si sentiva inzuppato di fumo. «Non si tratta soltanto di far entrare la gente e fare uscire la gente, non è neanche una questione di raggirare la gente, è questo il prodigio. Lei mi ha accalappiato, mi ha preso all'amo in pratica fin dall'inizio. Un branco di imbroglioni, m'importa poco: non è questa l'attività di famiglia. Voi volete mettervi in concorrenza con Dio, questo è il fatto».

Adela sollevò il viso stravolto. Un taglio insanguinato attraversava la lama del suo naso delicato. Non era opera di Lars: nemmeno un tocco del suo mignolo in fiamme. Era stato suo padre a colpirla. Il calcio feroce dell'autore del *Messia*.

La testa del dottor Eklund risplendeva come uno scudo lucente. Si strappò gli occhiali dagli orecchi; ed eccola, senza preavviso, la somiglianza. Non era localizzabile in nessun punto particolare. Era dappertutto: la rassomiglianza, il senso della discendenza. I suoi occhi nudi rivelavano la catastrofe; non aveva più niente, adesso, che potesse difenderlo, né gli anelli, né il battagliero scintillio dei suoi bottoni da marinaio. Il suo faccione scorticato, con gli orrendi crateri delle sue narici, divagava: esausto paesaggio in rovina, perso a ogni umana abitazione. Stravolto, stravolto. Esattamente la sembianza di Adela, finalmente.

15

Alle cinque del pomeriggio, a poco più di sette mesi dall'incendio nell'anfora di ottone — il tegame dello stufato stava proprio allora disperdendosi — una donna di nome Elsa Vaz, accompagnata da un bambino, venne a trovare Lars Andemening al «Morgontörn». Adesso lui aveva il suo cubicolo. Era una scatoletta spoglia, con le fiancate di truciolato, attrezzato con uno scrittoio malridotto (un tempo di Nilsson), un boccale di porcellana rosa (indistinguibile da quello di Anders), una macchina per scrivere, una caffettiera e una seggiola coperta da un cuscino strappato e bozzoloso. Polvere dell'intonaco ispessiva l'aria, tutte le pareti all'ultimo piano del «Morgontörn» venivano sventrate per installare il nuovo impianto elettrico. Nilsson aveva annunciato anche l'installazione di una intera schiera di terminali: i redattori del «Morgontörn» non si potevano certo aspettare di mettersi alla pari con l'«Expressen», ma almeno potevano salutare il secolo in cui vivevano, in onore del quale Nilsson aveva acquistato una scintillante scrivania nuova, fatta tutta di un materiale finora usato esclusivamente per la parte inferiore del muso delle capsule spaziali.

Elsa Vaz spiegò a Lars che prima era andata al suo vecchio appartamento, e là le avevano detto che da un po' di tempo si era trasferito. Lui, con pollice e indice, rimise in posizione i suoi occhiali capricciosi (ci voleva del tempo per farci l'abitudine) e replicò che avrebbe potuto telefonargli: aveva un appartamento spazioso in Bergsundsstrand, non lontano da dove un tempo aveva abitato Nelly Sachs; una strada civile, e le persone civili telefonavano, prima di piombare nell'ufficio di qualcuno. Quella scema d'una ragazza, giù dabbasso! Aver permesso a Elsa Vaz di arrivargli in ufficio all'improvviso, e per di più con un bambino! Dopo tutto, lui era rigoroso con i suoi orari, aveva un sacco di roba da leggere, e non poteva permettersi nessun tipo di interruzione: aveva il suo spazio del lunedì di cui occuparsi, per non dire delle valanghe di posta che questo comportava.

Il bambino — sembrava sui sei anni — era alle prese con un raffreddore; si strofinava, l'aria infelice, con l'uno o l'altro di due fazzolettoni bianchi, e si aggrappava alle ginocchia della donna. Continuava a tremare, e ogni tanto starnutiva, stringendosi nelle spalle; le teneva rialzate, due piccole vette aguzze ai lati di una testa a forma di noce.

Lars si tirò indietro, pensando ai germi. «Ma non è troppo malato, per essere fuori?».

«Non c'è nessuno con cui poterlo lasciare, siamo in una specie di stanza ammobiliata». La consueta reticenza. Gli fece tornare in mente la sua vecchia diffidenza. «E comunque, poverino, si sentirebbe perso. Parla soltanto portoghese».

«Perché non lo parcheggia al negozio? Se la cavano sempre con tutto, laggiù».

«È andata via da Stoccolma, non lo sapeva?».

Lui lanciò un'occhiata indifferente. «Come potrei fare a saperlo?».

«Il negozio è stato venduto».

«Non passo mai da quelle parti». Si concentrò sul suo viso; non era come se lo ricordava. «Non avrei mai pensato che ci avrebbe rinunciato».

«È stato lui a farglielo fare. Sono andati a vivere a Anversa. Ci sono più opportunità, laggiù».

Il bambino emise un rapido singhiozzo animalesco, seguito da una incomprensibile richiesta in una lingua che — qualsiasi cosa fosse — non era portoghese. Francese?

Polacco? La donna disse: «Mi farebbe mettere a sedere? Così posso prenderlo sulle ginocchia».

Malvolentieri, Lars cedette la sua sedia. «Opportunità», echeggiò, e rimase lì in piedi a guardarla sistemarsi la sottana per farne una sorta di nido per il bambino. «Lei capisce come stanno le cose, sono con l'acqua alla gola per la scadenza...».

«La leggo da quando sono arrivata. È diventato esattamente come gli altri», proclamò lei.

«Mi dicono che mi sono fatto un certo nome».

«È un recensore qualunque».

«Anche un recensore può godere di una certa reputazione».

«Lunedì scorso un romanzo poliziesco. Il lunedì precedente... non ricordo, non era l'autobiografia di una qualche stella del cinema?».

«Allora è in città da due settimane», disse lui.

Lei rise direttamente sopra la testa del bambino. «Dunque a qualcosa servono, i romanzi polizieschi! Ma no, siamo qui da quasi tre settimane. La prima settimana non arrivammo fino a mercoledì».

«Per affari», concluse lui. «Opportunità. Gli fa da corriere».

«È padrone di dire quello che vuole».

«Ha un nome differente, adesso».

«Ho tutti nomi differenti, si capisce».

«Per lavori differenti?». Abbassò lo sguardo al bambino; aveva chiuso gli occhi, ma le palpebre erano gonfie e rosse. «C'è una parte anche per lui?».

Un colpo, proprio in quel momento, su una delle pareti divisorie di truciolato: era Gunnar Hemlig che portava la posta. «Nilsson ha detto di darti questa», lasciò cadere una scatola che traboccava di buste e guizzò via. A Lars non diceva parola. Anders, quando lo incontrava, era quasi altrettanto silenzioso.

Lars li aveva offesi; loro erano ancora scottati. Aveva

159

ripreso tutto ciò che una volta aveva messo da parte. Non era soltanto questione della mobilia con cui riempiva il suo nuovo appartamento: di tutto questo, il tegame dello stufato si era occupato a lungo, parecchio tempo prima. Aveva il telefono attaccato a un servizio di segreteria telefonica automatico; nel suo cubicolo aveva una macchina per scrivere, come tutti gli altri, ma a casa aveva un word processor con uno schermo che rovesciava un diluvio di lettere verdi dal Giappone, e una stampante elettronica che con dita di fantasma batteva a una velocità uguale a quella del sole quando cade là dove finisce il mondo. Nilsson stava automatizzando il «Morgontörn», ma Lars Andemening stava trasformandosi in un robot. Teneva — questa era l'opinione del tegame dello stufato — una donna robot sotto il letto. Era riposta in una vecchia cassetta per la vodka. Nel bel mezzo della notte Lars schiacciava un bottone e lei, uno scatto dopo l'altro, costruendosi pezzo per pezzo, si metteva in posizione. Era fatta per lo più di polistirolo, e tutte le cerniere erano delle vecchie fedi nuziali comprate all'ingrosso da un avvocato specializzato in casi di divorzio, il quale ne aveva a carrettate; l'unica mansione che lei richiedeva a Lars era di darle il rossetto sulle sue pallide guance porose, e soddisfare le sue vibrazioni.

Così il tegame dello stufato, quando sobbolliva. Nilsson, dicevano, stava prendendo in considerazione l'idea di un altro spazio in un giorno diverso, per Lars, da aggiungere ai suoi lunedì. Era rapido; aveva la parola facile; aveva cominciato ad avere un orario rigoroso e difficilmente vagava per l'ufficio dopo la mezzanotte. Si era emendato, era guarito; era guarito del suo vecchio malanno. Prendeva sul serio il lavoro di recensore. Aveva rinunciato, sembrava, alla paura esistenziale; aveva rinunciato a quegli indecifrabili che evaporano dal buco dello stomaco dell'Europa centrale; si limitava agli svedesi e agli americani più socievoli; non lo si sentiva mai pronunciare

Kiš o Canetti o Musil o Broch; la sua lingua era sgombra di Kafka. Aveva chiuso, con tutto quel grottesco. Era come uno in coma il quale, dopo esser stato dichiarato addormentato per il resto dei suoi giorni, inaspettatamente rinviene e riprende i suoi giri normali. La routine stessa sembra straordinaria.

Il tegame dello stufato bolliva, ma serenamente; si era calmato; ormai produceva soltanto la più leggera, la più trascurabile schiuma. Negli ultimi sei mesi Lars era diventato, per il tegame dello stufato, l'istituzione più salda, benché, in precedenza, non gli avesse fatto il minimo caso. Erano stati, in realtà, Gunnar Hemlig e Anders Fiskyngel che avevano dato l'avvio a questa ultimissima ribollitura, toccò a loro, nessuno sapeva perché, e men che tutti Lars. Gunnar e Anders si trovarono a essere, improvvisamente, i celebranti di Lars Andemening nel rito del tegame dello stufato, il tegame al colmo della sua frenesia. Gunnar, in particolare, trovava spassosa quella stupenda commedia: come Lars, quell'anima nobile, col suo naso affilato immerso fino in fondo nelle belle lettere, era stato messo in mezzo da una famiglia di imbroglioni, falsari, ladri, amanti dell'arte con la A maiuscola, simbolisti! Intrappolato e distrutto: le loro fragranze demoniache, le loro astuzie, le loro blandizie! Ma no, controbatteva Anders, il punto è che tutta quella bella gente non era nostrale: un branco di polacchi, una banda di forestieri, sette o otto fra tutti, quattro turchi, due portoghesi, probabilmente qualche zingaro. L'amante di Sven Strömberg si tirò su il colletto da uomo e riprese il filo: zingari, sì, sicuramente c'era di mezzo una ragazza zingara, sulla cui schiena bruna e vellutata era stato tatuato — nell'infanzia, in minutissime lettere verdi — un salmo perduto, omesso dalla generazione dei Canonizzatori; un salmo che da secoli viaggiava da schiena a schiena su certe giovani di certe tribù rumene: donne dalla lingua fessa, mute dalla nascita. Col crescere di queste scure bambine prescelte, le lettere color erba si allargavano sul loro dorso; con mezzi insidiosi e per una cifra generosa (da cui il nuovo appartamento spazioso, la nuova mobilia, i congegni da robot), Lars era stato avvicinato per la trascrizione: era stato preso, volente o nolente, in quanto singolarmente idoneo, secondo le antiche formule, perché la ragazza che attualmente portava il salmo inciso perfino nel delta delle natiche era la sua stessa figlia rapita... La versione di Sven Strömberg era più semplice. Il capobanda di quegli imbroglioni era Olof Flodcrantz sotto mentite spoglie.

Così, ridendo, il tegame dello stufato. Gunnar e Anders osservarono che quelle pagliacciate erano soltanto in parte a danno del povero Lars, gabbato e frastornato. Lars malmenato e sconfitto. Tanto basti per l'esaltazione, tanto basti per le estasi private del visionario! Aveva avuto la sua lezione. Era stato umiliato, e d'ora in avanti avrebbe acconsentito a camminare di nuovo in mezzo ai mortali.

Tuttavia, da un momento all'altro, il tegame dello stufato cessò di bollire Lars e gli mise il braccio intorno alle spalle. La risata stridula della satira si ammorbidì. Lo prendevano in giro, invece. Gunnar e Anders, impreparati a quel mutamento d'umore, guardarono Lars, con i suoi capelli brizzolati e le guance da bambino, che faceva strada. Guardarono di nuovo: in qualche modo non era più, come una volta, bloccato in quel suo che di precoce; bastava uno sguardo per rendersi conto che non era un ragazzo. Impossibile prenderlo adesso per qualcos'altro se non un uomo di mezz'età: quei solchi scavati fra le sopracciglia, quell'inizio di uadi che correvano dagli angoli della bocca giù verso l'accenno di rigonfiamento da una parte e dall'altra della mascella... stava appesantendosi. Non poteva affrontare un paragrafo senza gli occhiali. Eppure stava facendo strada. Era come se uno spettro di fumo, troppo elusivo anche per la macchina fotografica più sensibile, lo avesse d'un tratto reso solido, come una statua: Lars *c'era*. I clienti del lunedì si stavano svegliando; gli scrivevano lettere. Gli scrissero sei o sette lettere; poi gliene scrissero a dozzine. Sorpassò Gunnar, sorpassò Anders; riceveva più lettere di tutti. Non era comico, non era polemico: che cosa si poteva dire che fosse? Qualunque cosa fosse, ne produceva in abbondanza: Nilsson era pronto a farlo straripare al martedì. Questo gli fece raddoppiare lo stipendio, e lui prese la cosa con tutta semplicità, come se lo meritasse. Studiarono la sua prosa: c'era un qualche trucco? Qualcosa in cui nessuno riusciva a coglierlo sul fatto?

Una sera Gunnar pensò di aver capito. Lars aveva cessato di purificare la propria vita. Questa assenza, questa cessazione, aveva l'effetto di un ingrediente. L'ingrediente era il contrario della purificazione. Produceva un effetto intensamente gratificante, raggiungeva quasi chiunque; era lo specchio più rosato; lusingava.

«E che cosa sarebbe questo favoloso ingrediente?» domandò Anders, tornando dal rubinetto. Non chiedeva più a Lars di andare a prender l'acqua: Lars aveva fatto strada; e inoltre, oggigiorno non si poteva più contare di trovare Lars quando i topi erano in giro. Le sue notti le impiegava in altri modi. In quanto ai topi, Nilsson stava fissando con i disinfestatori perché venissero non appena gli elettricisti avevano finito. Le pareti sfondate avevano rivelato i loro nidi.

«La mediocrità», disse Gunnar.

Non erano uomini malvagi, ma riconoscevano l'importanza di tagliare i ponti con Lars. Come altro ci si può comportare con uno che fa fortuna con gli scandali? Olof Flodcrantz, zitto zitto, se ne era tornato dalla Finlandia, ma almeno era svanito a sud, aveva trovato un lavoro a Malmö; non si faceva vedere. Non insultava la gente, non le si andava a piazzare davanti agli occhi come un faro.

Aspettavano che il tegame dello stufato cambiasse. Il tegame dello stufato cambia sempre. Inghiotte. Risputa. Continua a bollire.

16

Il «Morgontörn» si stava svuotando. Gli elettricisti e le loro mazze se ne erano andati da parecchio tempo. Avevano incominciato alle otto di quella mattina aprendo crateri nelle pareti con rimbombi di tuono; fin mezz'ora prima di pranzo gli antichi piani superiori del «Morgontörn» erano stati sconvolti. Poi gli elettricisti si erano smaterializzati. Le segretarie stavano uscendo proprio allora, svolazzando giù per le scale come coriandoli. Nilsson, dando loro una spinta come a tanti razzi, stava chiudendo i bei cassetti nuovi della sua scrivania astrale. Si udì poi l'ascensore, che sbattendo contro le fiancate del pozzo come il battaglio di una campana lo portava, risuonando pericolosamente, giù fino in strada. Del tegame dello stufato non rimaneva neanche un avanzo; neanche i fondi. Gunnar era già dall'altra parte della piazza a prendere il tè con il bibliotecario dell'Accademia, un evento inteso a produrre profonda impressione sul tegame dello stufato, se soltanto questo gli avesse dato l'occasione di parlarne, che amarezza, che in quel periodo il tegame avesse orecchi soltanto per la vita e le opere di Lars Andemening! Anders aveva preso l'autobus per tornare a casa, al regno dei fossili della sua famiglia preistorica: il patrigno primordiale, la zia antidiluviana.

Il piccolo, intanto, si era addormentato con la bocca stretta a formare un tubo, quanto bastava per lasciar passare un russare periodico, incongruo in un corpicino come quello. Il russare era leonino.

Il viso di lei non era come lui se lo ricordava. In sei mesi si era... non indurito, lui non l'avrebbe definito così; ma c'era un che di sfrontato, adesso. Con questo non intendeva quel vecchio pizzico di cocciutaggine, non intendeva impudenza; quel che aveva in mente era il contrario. Sembrava disperatamente immobile: *formata*: una figura fusa in un qualche metallo elementare. Una Pietà immobile, luminosa come il rame, forse era l'effetto del bambino che aveva in grembo. In quanto al russare del bambino, era come se tenesse in braccio una tromba viva che poteva mettersi a squillare da un momento all'altro.

«Perché questa camera ammobiliata?», domandò lui, in tono di sfida. «Pensavo che aveste un sacco di soldi, voialtri. Perché non un bel posto elegante a due passi dal Caffè dell'Opera? Che pasticceria! Avete proprio fatto un torto al ragazzino».

Lei appoggiò le labbra alla fronte del bambino. «Gli sta venendo la febbre».

«A meno che la camera ammobiliata non faccia parte della sceneggiatura, magari? Un effetto appropriato...».

«Lei crede che tutto quello che io faccio sia una recita».

«Tutto quello di cui io sono a conoscenza. L'hanno intrappolata. Fa quello che si aspettano da lei».

«Un'ora fa stava bene», mormorò lei: la mano posata su quella del bambino.

«Paura del pubblico», suggerì Lars.

«Non dica queste cose. È il mio bambino».

«L'attività di famiglia! Quanti padri, quante madri, ed ecco, adesso un figlio...».

«Io non sono come lei». S'interruppe. «Non lo sono proprio».

Di nuovo le rivolse quello sguardo indifferente. «Il dottor Eklund non è immaginario, no. È proprio un peccato che non lo sia. Una volta credevo che lo fosse».

«E neppure mia madre. Mia madre è a Grenoble, con un nuovo marito. Glielo dissi».

«Era una balla».

«Una parte no».

«Una parte no! E dopo tutto questo tempo è disposta a sbrogliare la matassa? L'intero cast dei personaggi?».

Un brontolio gargantuesco oscurò le ultime parole. Il piccolo, svegliato dalle sue stesse vibrazioni, tirò su le gambe, si agitò, e sembrò ricadere nel sonno. Due scie di lacrime scesero vagando giù fino al mento — era come il sottile picciolo di una ghianda — e sulla manica di Elsa Vaz: le narici, col loro respiro faticoso, piangevano, le palpebre spesse si velavano d'acqua.

«Non sarei dovuta venire», disse lei.

«Infatti. Ora che capisco perché è venuta».

«No che non ha capito».

«Una uscita grandiosa. Quell'alto funzionario del partito, era inventato anche lui?».

«Era l'amico di mia madre. Glielo dissi. Tosiek Glowko».

«E la vecchia vedova con la scatola, e il vecchio vedovo a Varsavia, e le scarpe, e quei fogli nel forno, e l'uomo col lungo pastrano nero...».

Lei lo guardava, immobile. Perfino le pupille dei suoi occhi erano immobili. Vi si sarebbe potuto lanciare contro un sassolino e non si sarebbero contratte. «Lei non sa proprio niente di Drohobycz. Proprio niente. Niente di Varsavia. Per lei è tutto appetito — è quello che lei vuole che sia — lei non ha la minima idea di quei posti».

«Ci sono nato. Sono un profugo».

«Lei può ripeterlo tutte le volte che vuole, e lo stesso non sa dov'è nato. Un racconto delle fate. È andato a scegliersi un padre da un libro. Chi altri farebbe mai una cosa del genere...».

La sua fermezza vacillò; sbatté gli occhi: il proprio occhio punto da quell'altro occhio. Non era tanto un ricordo quanto un dolore, un bruciore. Quell'altro occhio non intendeva più aderire al suo appello, neanche al limite più sfumato della memoria. La verità era che non riusciva più a richiamarlo. Quando tentava di visualizzarlo, ciò che vedeva era un piccolissimo mucchietto di cenere, di una

166

rotondità irregolare, non più alto dell'unghia di un pollice. La cenere grigia avrebbe potuto passare per un batuffolo di capelli di Elsa Vaz.

«Mi dica», domandò, «c'è un padre per questo bambino, da qualche parte? Oppure dovrà pensarci da sé, a trovarsene uno?».

«Suo padre è in Brasile».

«Brasile? Non a Anversa? È sfuggito all'attività di famiglia?».

«Divorziato», fu quanto pensò di averla sentita dire — il russare malato del piccolo tornò a gonfiarsi e vi passò sopra come un'onda — ma avrebbe potuto essere qualcos'altro. Avrebbe potuto essere «Obbligato», oppure «Abbandonato», oppure «Schiacciato», qualcosa di simile forzato da quel suo strano suono a mezza gola. Avrebbe potuto essere qualsiasi cosa; il momento passò; di nuovo il piccolo si calmò.

Lars disse, risoluto: «Lei è la peggiore di tutti. Lei si è data un nome preso di peso da un libro, io, questo, non l'ho fatto. Lei ha arraffato Adela, si è rivestita di quel nome, si è mascherata...».

«La signora Eklund riteneva che lei ne sarebbe stato attratto. Voleva che lei provasse interesse».

«La signora Eklund. E l'allieva, la studentessa? Copulare con una bambina! Con una delle sue allieve! Quello non fu la signora Eklund! Quello fu suo, giusto? Copulare con una bambina, non fu idea sua? Heidi non ci avrebbe mai pensato! Di questa, non le faccio credito».

«Le faccia pure credito, se vuole». Abbassò la testa. «Sono venuta per dirle che di lei si abusò».

«Usò», corresse lui.

«La signora Eklund la offese».

«E il dottor Eklund invece no? Il dottor Eklund, con la sua meravigliosa lente d'ingrandimento? Quell'incrocio fra Sherlock Holmes e P.T. Barnum?».

«Mio padre no, lui no».

«Suo padre sì!», disse lui, in tono vendicativo.

«Lui la offese solo un po'».

«Grazie, solo un po'. Sono molto grato».

«Lei lo ha offeso molto di più. Non si è più ripreso, non si riprenderà mai. Lei non sa quello che ha fatto. È per questo che sono qui», disse. «Sono venuta per dirle che cosa ha fatto».

«Che cosa ho fatto! Ho distrutto il suo lavoro. Ma immagino che una cosa del genere possa prendere a un esperto, quanto? due o tre mesi? E allora pazienza, che vada e ne rimetta insieme un altro».

Lei ripeté: «Lei non sa che cosa ha fatto. Non lo sapeva allora e non lo sa adesso».

«Be', se lo sapessi sarei l'esperto, non le pare? M'immagino che ci voglia il tipo d'inchiostro giusto, e il tipo di penna giusto, e il tipo di carta giusto, e il tipo giusto di dabbenaggine. M'immagino che sia in grado di procurarseli. E roba manoscritta utile — lettere smarrite, corrispondenza fatta arrivare di contrabbando — su cui modellare la calligrafia; questa è la prima cosa. E poi, qualcuno che sappia raccontare bene delle storie, come lei, una commediante nata, la chiamerei io; e non aver nessun riguardo perché la carta invecchi alla svelta, avanti e indietro dentro dei sacchetti e dei vasi e magari anche delle scarpe e dei forni, e poi giù nelle pozzanghere, questa è tutta questione di tecnica, non so come si faccia. Ma soprattutto, quello che conta è avere la storia giusta, è la storia, no?».

«Parassiti letterari che non siete altro». Era tutta pesante disdegno. Il bambino si mosse fra le sue braccia: era una Madonna del disprezzo. «Vendetta e illusione, illusione e vendetta! Lei crede che tutto sia immaginazione. Il mondo è fatto di ben più che soltanto immaginazione».

«Il denaro», suggerì Lars. «Non è forse a quello che mira l'attività di famiglia?».

168

Il bambino rabbrividì; tutto a un tratto fu sveglio. Pesantemente sollevò il mento a ghianda e guardò, di traverso, in giro per il cubicolo. Nell'oscurità del vano della porta, acquattato sulle anche, c'era un topo in kaki. Tremava tutto. Gli orecchi gli ondeggiavano; i baffi gli vibravano; alzava le zampine come le mani di un bambino piccino.

Il bambino lanciò uno strillo: un lungo grido, e scivolò a terra.

«Bisogna che lo porti via».

«Non avrebbe dovuto portarlo. Un ragazzino malato così».

«E che cosa ne sa, lei?». La pesantezza del suo disdegno. Sentì che lei aveva ragione. Lo colpì — pensò alla scatola di colori di Karin, buttata via, a Karin stessa rapita in America — lo colpì il fatto che aveva barattato la calda vita di sua figlia per un mucchietto di cenere grigia. Illusione, illusione! E denaro. Lui stesso, non era forse vivo grazie all'attività di famiglia di un viaggiatore mercenario a Varsavia, tanto tempo fa?

Disse, con umiltà: «Una volta avevo una bambina. Fu portata via, non ce l'ho più».

«Platonico. Letterario». Lei non gli credeva; e perché poi, avrebbe dovuto credergli? Era lui stesso che lo diceva: uno che si inventa un padre può, con altrettanta facilità, inventarsi una figlia. «Non c'è proprio nulla, di suo, che sia legato al qui, allora? Lei dovrebbe domandarsi se davvero esiste. Forse lei è un'idea in testa a qualcuno. Il presupposto che ha qualcuno». Prese in braccio, con veemenza, il suo bambino. «Voi amanti della letteratura. Parassiti che non siete altro. È per questo che sono venuta: per esser sicura che lei lo sappia».

Era priva di comprensione. Lui non sapeva che cosa si aspettava che sapesse.

«Lei lo ha distrutto. Cremato. È perduto, ormai. Proprio quello: l'unico. Era quello che era».

«Il facsimile del dottor Eklund». Troppo vago; troppo debole.

«*Il Messia*», dichiarò lei: il suo viso era chiuso a chiave; fisso; una fusione viva di rame. «Veniva da Drohobycz, via Varsavia. Proprio quello».

«È lei che lo dice», disse lui. «Lo dice Adela. Argomento chiuso».

«Bruciato. Annientato. Se ne renda conto!», comandò lei.

«Vuol pareggiare i conti, ecco perché. La figlia del falsario».

«Era quello che era. Lui fa i passaporti, tutto qui. Non sa fare nient'altro, o almeno non ha mai tentato. Fa entrare e uscire la gente, perché non sta a sentire Heidi? Può far andare la gente dappertutto. Mia madre va dove vuole. E così io». Stava, lo vide, per prepararsi ad andarsene, insieme a suo figlio. Era in partenza, ovunque fosse diretta. «L'ultimo frutto di Drohobycz», gli disse, «andato in fumo».

Commediante!

Impostore d'un profugo!

Non sapeva se lei avrebbe scelto l'ascensore oppure le scale. Con sua sorpresa, udì il doppio scalpiccìo giù per la tromba delle scale, rapido come i punti di una macchina da cucire: i passi del bambino che tamburellavano dietro a quelli di lei. Era priva di comprensione, perché? Aveva l'abitudine di obbedire. Marciava agli ordini di suo padre. Faceva marciare verso il basso quelle gambette.

Ciò dette a Lars il tempo che gli occorreva; e non gliene occorreva molto. Aveva dimenticato in quale cassetto della vecchia scrivania ammaccata di Nilsson lo avesse ficcato. Frugò, buttando all'aria, in un cassetto dopo l'altro, vuoti, niente d'importante in nessuno di essi. Ed eccolo: il berretto bianco, appiccicaticcio per l'umidità del «Morgontörn». L'aveva portato al «Morgontörn» il giorno dopo che aveva lasciato il suo vecchio appartamentino. La

170

trapunta era stata abbandonata: buttata là sulla poltrona di cuoio con la zampa incrinata, nell'angolo del vestibolo.

«Signora Vaz!», chiamò nella oscura aria verticale. «Il suo cappello! Si riprenda il suo cappello!», e lo lasciò cadere, vorticante, sempre più giù.

17

Non che le credesse. Di quando in quando si accorgeva di crederle, ma di solito no.

Quello che continuava a tormentarlo era l'odore — l'odore di qualcosa fatto arrosto — per tutta Stoccolma. Era una piaga in ogni angolo della città, per quanto pulito fosse il vento che soffiava. A volte sembrava levarsi dalle acque impedite delle chiuse; a volte evaporava dalla punta delle guglie. Lo scovava sempre, ovunque egli fosse, in qualsiasi stagione. Era come se Stoccolma, bruciando, si stesse lentamente tramutando in Africa: l'odore, inverno o estate, della zebra che cuoce.

Sapeva che si trattava di un'allucinazione, era una sorta di allucinazione — Heidi avrebbe insistito che si trattava di un'allucinazione — era una cosa immaginaria. Verso la fine dell'anno aveva quasi smesso di pensarci, a quell'odore, tranne che quando si svegliava la mattina; la mattina, era sempre nei suoi abiti.

Il tegame dello stufato, per parte sua, era tornato a non fare gran caso a Lars Andemening: benché la sua posta fosse tanta — e questo era gratificante — e Nilsson (a dispetto del pallore invidioso di Gunnar Hemlig e di Anders Fiskyngel) avesse aggiunto la ciliegina della domenica ai suoi lunedì e martedì.

E tuttavia di tanto in tanto — non frequentemente — avveniva che Lars si affliggesse per la propria vita. Non perché avesse mancato di purificarla. Non a causa del perduto *Messia*. Non perché era un orfano ormai anziano, e aveva dovuto mettere il dito in un dizionario per tirare su un nome. E nemmeno a causa di quell'occhio spergiuro, buttato come un pezzo di antracite fra le ceneri dell'anfora di ottone.

Quando, sempre meno di frequente, l'odore saliva su dagli interstizi del mattino, Lars dentro lo stretto vestibolo del suo cervello intravedeva l'uomo dal lungo pastrano nero che si affrettava, una scatola di metallo per giarrettiere sotto il braccio, si affrettava e si affrettava verso i forni. E allora, nella luce azzurra di Stoccolma, si affliggeva.

Finito di stampare
il 9 gennaio 1991
dalla Garzanti Editore s.p.a.
Milano

66273